GIOVANNA MAGI

PARIS

GUIDE COMPLET POUR LA VISITE
DE LA VILLE

12 ITINERAIRES

117 PHOTOS EN COULEURS

PLAN DE LA VILLE

PLAN DU MÉTRO

VERSAILLES

ƎB

ÉDITIONS BONECHI

ÉDITIONS BONECHI
Via dei Cairoli 18b – Florence

Bureau de Paris:
23, Rue du Buisson St. Louis
PARIS 10e – Tél 203.43.44

Texte et photographies
© Copyright 1975 by ÉDITIONS BONECHI

Imprimé en Italie
Reproduction interdite
Tous droits réservés

ISBN 88-7009-030-2

Traduit par
MICHELINE GILLE

TABLE DES ITINÉRAIRES

Bienvenue à Paris

« Mesdames et Messieurs, vous êtes priés d'attacher vos ceintures et d'éteindre vos cigarettes: nous allons commencer à descendre et dans dix minutes nous nous poserons sur le terrain de l'Aéroport d'Orly ». Votre cœur a peut-être battu un peu plus vite lorsque l'hôtesse a fait cette annonce. Car cela signifiait pour vous la première rencontre avec Paris et les inconnues de l'arrivée. A l'Aéroport (Orly ou Charles de Gaulle) vous avez pris un car qui vous a déposés au Terminal des Invalides ou au Terminal de la Porte Maillot (Terminal ou Aérogare). Là, un choix à faire pour rejoindre votre hôtel: taxi ou métro? Commencez tout de suite à vous comporter en Parisien et prenez le métro.

LE MÉTRO

Les billets: achetez un carnet (10 billets = 10 voyages), c'est plus avantageux. Vous les utiliserez, car pour aller n'importe où le métro est le moyen le plus rapide et le moins cher. Notez qu'il existe des 1ères et des 2èmes classes. A l'extérieur et à l'intérieur des stations de grands plans vous indiquent toutes les lignes en couleurs différentes. A l'aide du plan du métro de notre guide vous allez apprendre à vous repérer. Pour connaître la « ligne » que vous devez emprunter, regardez le nom des stations de chaque extrémité sur le trajet de laquelle se trouve la station que vous désirez atteindre. Vous devrez peut-être changer: les « changements » se font aux intersections des lignes entre elles. Supposons que venant de l'Aéroport Charles de Gaulle, le car vous ait déposé à la P.te Maillot, or votre hôtel se trouve près de la station « Opéra »: la station « P.te Maillot » se trouve sur la ligne « Pont de Neuilly-Porte de Vincennes » (n. 1), la station « Opéra » sur la ligne « Place Balard-P.te de Charenton » (n. 8). Ces deux lignes se croisent à la station « Concorde », c'est donc là que vous devrez changer, en prenant la ligne n. 8 dans la direction « P.te de Charenton ». Les directions sont indiquées de façon très visible par de grands panneaux accrochés au-dessus des quais de métro. Et dans les couloirs de grands panneaux bleus et blancs portent tous les noms des stations de la ligne. Vous les trouverez également dans le wagon même. Et puis vous trouverez toujours une personne aimable pour venir à votre secours.
Amusant d'observer vos voisins de compartiment, non? Chaque nation a ses « têtes ». Des hommes sont plongés dans leur journal, des femmes dans un roman, ou occupées à tricoter: beaucoup ont de très longs trajets pour rejoindre leur lieu de travail. Et puis, il y a les couples d'amoureux

qui, dans le métro comme dans la rue, s'embrassent à bouche-que-veux-tu, sans se soucier le moins du monde de ceux qui les entourent.

LE SÉJOUR A PARIS

Après vous être un peu remis des fatiques du voyage dans votre chambre d'hôtel, vous allez probablement vous lancer, plein d'impatience et de curiosité, à la conquête de Paris: on vous en a tant parlé. Et il y a tant de choses à voir dans cette ville aux multiples visages: la ville des travailleurs, ceux que vous rencontrez dans le métro bondé aux « heures de pointe », le visage tendu par la fatigue; ou que vous rencontrez à 8 h. du matin ou sur le coup de midi en train de siroter un « petit blanc sec » (un verre de vin blanc) ou un « café arrosé » (café dans lequel on verse un petit verre de cognac), au zinc (le comptoir) du bistrot du coin. La ville de la mode: les boutiques pleines de merveilles de goût aux alentours de la Place Vendôme, du Faubourg St-Honoré ou de la rue de la Paix. La ville pittoresque, artiste, intellectuelle: les « villages » de St-Germain-des-Prés ou de Montmartre, les quais et leurs bouquinistes. La ville du passé avec ses monuments qui racontent une longue et passionnante histoire. Peut-être allez-vous vous asseoir à la terrasse d'un café et y savourer un « grand crème » (café au lait) avec des croissants pour calmer votre faim en attendant l'heure de faire un vrai repas. Vous ne serez pas seul, car les Parisiens fréquentent beaucoup le café, à toute heure du jour: pour « discuter le coup », parler de politique, d'affaires... ou de n'importe quoi. Le Parisien est bavard, volontiers rouspéteur, gouailleur. Il discute l'événement du jour à grand renfort de gestes, dans une langue imagée et pittoresque, émaillée de termes d'argot, avec son accent typique (l'accent « parigot ») qui avale ou écrase les syllabes. Les chauffeurs de taxis et les marchandes de quatre-saisons (celles qui vendent fruits et légumes dans des sortes de chariots) sont renommés pour la verdeur de leur langage.

LE SHOPPING

Mais vous avez probablement l'intention de faire quelques petits achats immédiatement, avant même de penser aux cadeaux-souvenirs plus importants. A Paris, le commerce s'exerce avec une énorme vitalité, que ce soit l'alimentation ou les autres secteurs. On travaille dur dans cette grande ville. Les magasins d'alimentation ouvrent en général de 8 h 30 du matin (7 h les boulangeries) à 13 h et de 16 h à 19 h 30. Les autres boutiques (mode, librairies, coiffeurs, etc.) sont souvent ouvertes de 9 h du matin à 19 h sans interruption. Les magasins d'alimentation sont tous ouverts le dimanche matin. Mais le lundi la plupart des magasins sont fermés, certains le matin seulement.

Les Grands Magasins (Printemps, Galeries Lafayette, Samaritaine, Bazar de l'Hôtel de Ville, Belle Jardinière, Bon Marché) sont fermés le dimanche et le lundi matin; mais les autres jours ils sont ouverts toute la journée de 9 h 30 à 18 h 30, certains ont un « nocturne » par semaine, c'est-à-dire un jour où ils restent ouverts jusqu'à 22 h. Chacun d'eux est un monde à lui seul, on y trouve de tout, de la quincaillerie à la haute-mode, en passant par la vaisselle, les disques, les produits de nettoyage ou d'alimentation. Chacun d'eux possède un restaurant, un salon de thé et un salon de coiffure: en somme, de quoi employer une journée....

Rappelez-vous que dans de nombreux magasins (mode parfumeries, articles de Paris, bijouteries, articles de luxe) vous pouvez, sur présentation de votre passeport et de cartes spéciales qui vous sont délivrées par votre banque ou l'American Express, bénéficier du remboursement des taxes. Dans les Aéroports, on ne vous fait pas payer les taxes.

LA CUISINE FRANÇAISE

Et maintenant si l'on parlait de la cuisine française? Disons d'abord brièvement que vous pouvez faire un repas léger à peu près à toute heure du jour: dans les Drugstores en particulier, vous pouvez vous faire servir n'importe quand une assiette anglaise (viandes froides et jambon), un croque-monsieur (jambon et fromage entre deux tranches de pain de mie, passés au four), toutes sortes de sandwiches. Les Drugstores à Paris: Drugstore Opéra, Drugstore Matignon, Drugstore des Champs-Élysées, Pub-Renault, Drugstore Saint-Germain-des-Prés, Métrostore, etc. Vous pouvez, si cela vous amuse et si vous n'avez pas le temps de vous arrêter, manger en vous promenant des hot-dogs, des crêpes. des gaufres ou des « frites », il y a des quantités de marchands installés à la terrasse des cafés, spécialement vers le boulevard St Michel et l'Odéon. Mais pour les repas « sérieux », vous avez les Self-services, les restaurants des Drugstores et.... les restaurants tout court! Evidemment vous ne trouverez pas le caviar ou le foie gras dans tous les restaurants. Mais il y a des plats que vous retrouverez sur presque toutes les cartes (ou « menus »), parce que ce sont des plats typiquement français, venus de leurs provinces natales et adoptés par les Parisiens, or « Il n'est bon bec que de Paris ».... Le « Steack pommes frites » (mais celui-là pourrait bien être anglais?) n'a pas besoin d'être décrit: mais les Parisiens le mangent en général « à point » (un peu saignant au milieu) et souvent « bleu », c'est-à-dire très saisi à l'extérieur et presque cru au milieu. Le « Pot-au-feu » est du bœuf bouilli servi avec les légumes (poireaux, carottes, navets, céleris) qui ont cuit dans son bouillon. Le « Bœuf bourguignon » est du bœuf coupé en petits morceaux et mijoté dans une sauce épaisse et savoureuse, parfumée au vin rouge, avec des champignons

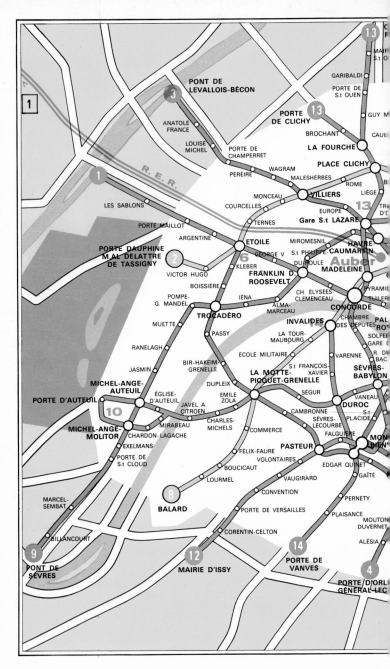

STATION
DE LA LIGNE
R.E.R.

Nanterre-Préfecture
Nanterre-Université
Nanterre-Ville
Rueil-Malmaison
Chatou-Croissy
Le Vésinet-Centre
Le Vésinet-Le Pecq
St. Germain-en-Laye

Nogent-s. M
Joinville-le-Pont
St.-Maur-Créteil
Champigny-s. M.
Le Parc de St. Maur
La Varenne-Ch
Sucy-Bonneuil
Boissy-St.-Léger

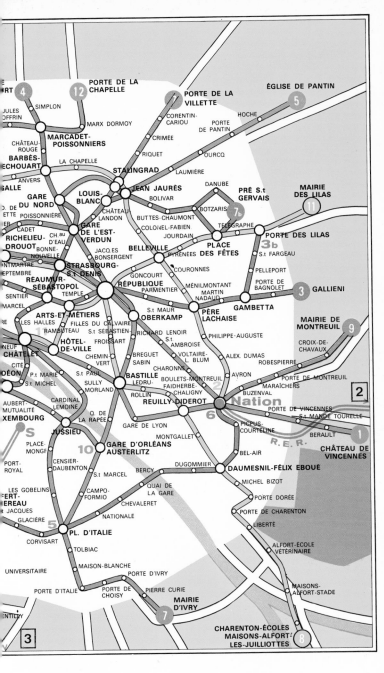

et des petits lardons. Le « Hachis Parmentier » est une sorte de gâteau de pommes de terre fourré d'une farce de viande. Le « Haricot de mouton », est du mouton coupé en morceaux, cuit longuement dans une sauce épaisse et parfumée, dans laquelle ont cuit en même temps les haricots blancs. Si à cette viande de mouton on ajoute du lard et du saucisson à l'ail, et à la sauce de la purée de tomates, cela devient le savoureux « Cassoulet toulousain ». L' « Epaule de mouton farcie » est une épaule de mouton dont on a extrait l'os, qui est remplacé par une farce, et que l'on sert avec des pommes de terre et des navets cuits en même temps dans le jus. La « Blanquette de veau » est du veau en morceaux cuit dans une sauce blanche additionnée de vin blanc avec des champignons et servie avec des pommes de terre à l'eau ou du riz. Le « Boudin pommes en l'air » est du boudin (sorte de saucisse de sang) grillé servi avec une compote de pommes (fruits) non sucrée, un peu acide. Les « quenelles » sont des sortes de boulettes à base de mie de pain, d'œufs et de viande ou de poisson, que l'on sert avec des sauces différentes, c'est un mets très léger et délicat. Les « Bouchées à la Reine » (ou petits « Vol-au-vent ») sont constituées par une croûte de pâte feuilletée garnie d'un mélange de ris de veau, quenelles et cervelle dans une béchamelle, c'est un plat très apprécié par les « fines gueules » (gourmets). Dans les desserts, citons les « Œufs à la neige » (aussi « Iles flottantes ») faits de grosses boules de blancs d'œufs battus très ferme, pochés dans le lait et servis avec une crème à la vanille liquide. Le « Nègre en chemise » est une confection à base de chocolat, œufs et beurre, servie enrobée de crème fouettée. Les « Crêpes » sont des sortes de petites galettes faites à la poële, servies chaudes avec du sucre ou de la confiture, ou « flambées » avec un alcool (rhum, Marasquin, Grand Marnier). Nous ne ferons que citer le « plateau de fromages », gloire de la gastronomie française. Les « fruits de mer » (huîtres, moules, crevettes, oursins, coquilles Saint-Jacques), les escargots et les cuisses de grenouille, il ne tient qu'à vous de les goûter.... cela ne s'explique pas.

VISITE DE LA VILLE

La visite de la ville maintenant: vous avez, bien sûr, des « tours » organisés par des Agences (voir en particulier dans le quartier de l'Opéra), pour vous donner une idée d'ensemble rapide. Mais nous espérons que vous aurez assez de temps pour vous promener surtout à pied et « voir » vraiment. Toutefois, vous trouverez un très grand charme à la croisière fluviale sur la Seine en « Bateau-Mouche », qui vous offrira une vision de Paris sous un angle très original. Vous pourrez même déjeuner ou dîner durant la promenade (Embarcadères: Pont de l'Alma, Quai de Montebello, Square du Vert-Galant au Pont-Neuf).

Pour terminer ce tour d'horizon qui guidera vos premiers pas, quelques mots de « Paris la nuit ». Car Dieu sait si l'on en parle! Nous vous signalons en passant que vous trouverez tous les programmes et horaires des cinémas, théâtres, concerts, conférences, spectacles « son et lumière », expositions, etc. dans deux petites revues spécialisées (Pariscope et l'Officiel des Spectacles), qui paraissent une fois par semaine, le mercredi. Si vous comprenez très bien le français et vous intéressez à l'actualité et à la politique, les « Chansonniers » vous amuseront (Caveau de la République, Théâtre de Dix-Heures, les « Deux-Anes »); si vous aimez la chanson et le spectacle de variétés, l'Olympia, Bobino, les cafés-théâtres vous conviendront. Certains cabarets font des « dîners-spectacles » ou des « dîners-dansants »: là le choix est vaste, car cela va des chansons au strip-tease.

Enfin il y a les célèbres « boîtes de nuit »: aux alentours de la place Pigalle, de la place Blanche, sur la Butte Montmartre, elles se suivent, aguicheuses, racoleuses, avec leurs enseignes aux couleurs violentes. On entrevoit là tout un étrange monde de « travailleurs nocturnes ». Montparnasse, Saint-Germain-des-Prés, les Champs-Élysées vous offrent aussi leurs plaisirs. Ici ou là, vous danserez au rythme des orchestres typiques ou vous vous laisserez prendre à la séduction des violons des tziganes. Alors, nous vous rappellerons seulement ce qui est vrai dans tous les lieux de plaisir du monde entier: rangez bien votre portefeuille, Monsieur, ne laissez pas traîner votre sac à main sur la table, Madame. Ne faites pas confiance sans réserve à un visage avenant: attention, le Champagne, c'est si pétillant, cela monte un peu à la tête.... et cela peut vous faire trouver tout le monde si sympathique!

Muni de ces sages conseils, vous n'avez plus maintenant qu'à aller à la rencontre de Paris, Paris pour qui c'est toujours une joie et un honneur d'accueillir ses amis venus de si loin.

Micheline Gille

Panorama de Notre-Dame.

Quelques mots d'histoire

Paris fut probablement fondé par des Gaulois qui créèrent un petite centre urbain sur la rive gauche de la Seine. Sous le nom de Lutétia, la ville est citée par Jules César, qui y parvint en 53 av. J.-C.

Sous la menace continuelle des invasions barbares, ce petit noyau se transporta dans l'île de la Cité, et de là commença une continuelle expansion sur les rives du fleuve. D'abord résidence des rois mérovingiens puis des rois carolingiens, Paris devint vraiment la capitale en 987, quand Hugues Capet fonda une nouvelle et très puissante dynastie. Paris vécut un de ses moments les plus splendides entre 1180 et 1223, avec l'avènement au trône de Philippe II Auguste: on commença la construction du Louvre, et on fonda l'Université. Sous le règne de Louis IX, dit saint Louis (1226-1270), on construisit la Sainte-Chapelle et on continua les travaux de Notre-Dame. Par contre, la dynastie suivante, celle des Valois, amena à Paris luttes et guerres, désordres et guerre civile. Même si Charles V rétablit momentanément l'ordre, la lutte continua, toujours plus féroce, entre les Armagnacs et les Bourguignons, lutte à laquelle fit suite l'occupation anglaise, avec Henry IV d'Angleterre couronné roi de France en 1430.

En 1437, Charles VII reprit Paris, mais la population était encore exténuée par les sanglantes révoltes qui alternaient avec les épidémies de peste. Même si durant tout le XVIe siècle les rois préférèrent les châteaux de la Loire à la capitale, les discordes qui divisaient Paris ne cessèrent pas pour autant. L'extension du mouvement protestant était à l'origine des guerres de religion qui, pendant longtemps, déchirèrent Paris et la France entière, pour arriver à leur comble avec le massacre des Huguenots durant la fameuse nuit de la Saint-Barthélemy (24 août 1572). Après l'assassinat d'Henri III (1589), la ville subit un siège de quatre longues années, jusqu'au moment où elle ouvrit ses portes à Henri IV qui s'était converti au catholicisme.

Au début du XVIIe siècle, toutefois, au moins trois cent mille personnes habitaient déjà Paris. La ville prit une importance toujours plus grande au temps du puissant cardinal de Richelieu, et durant la nouvelle dynastie des Bourbons: au temps de Louis XIV, le Roi-Soleil, la ville comptait cinq cent mille habitants. C'est à partir de 1789, toutefois, que Paris conquit sa place dans l'Histoire, après le début de cette Révolution qui allait marquer la naissance du monde moderne. On peut dire que de longues années de terreur, de pertes en vies humaines, de dommages irréparables causés aux œuvres d'art, furent oubliées avec les nouvelles années de splendeur de l'Empire et le faste de la cour dont Napoléon (couronné Empereur en 1804) s'entoura. De 1804 à 1814, Paris ne cessa de s'embellir: on éleva l'Arc de Triomphe, la Colonne Vendôme, on agrandit le Louvre. Après la chute des autres monarchies, celle de Charles X et celle de Louis-Philippe de Bourbon-Orléans, naquit la IIe République, puis Napoléon III monta sur le trône; il confia au baron Haussmann le projet de restructuration urbaine de la ville: on construisit les marchés des Halles, on aménagea le bois de Vincennes et le bois de Boulogne, on édifia l'Opéra, on modifia les grands boulevards, expression typique de ce moment historique particulier.

En 1871, une autre triste page de l'histoire de Paris: la Commune (18 mars-28 mai). De nombreux édifices pleins d'histoire et de beauté furent détruits en ces jours de révolte et d'incendies: entre autres l'Hôtel de Ville et le Palais des Tuileries. Avec le nouveau siècle, Paris connut de nouveaux moments de splendeur: les Expositions Universelles et Internationales, la construction du Grand et du Petit Palais, la naissance d'importants mouvements artistiques, picturaux et littéraires. Malheureusement, deux autres longues guerres passèrent sur la ville qui subit bombardements et destructions: tombée aux mains de l'armée allemande en 1940, elle fut libérée par les Alliés et les combattants de la Résistance française en 1944. Depuis ce moment, ville enfin vivante et libre, Paris garde sa place dans l'histoire de la culture et de l'humanité.

Flanc droit de Notre-Dame
vu du quai de Montebello.

NOTRE-DAME – **La façade**.

LA CITÉ *(Métro: ligne 4 – Station Cité).*

Pont-Neuf • Square du Vert-Galant • Place du Parvis • **Notre-Dame** • **Palais de Justice** • **Sainte-Chapelle** • **Conciergerie** • **Ile-Saint-Louis**.

Le Pont-Neuf.

LA CITÉ

C'est ici, sur la plus grande des îles de la Seine, que naquit la Cité, centre de la vie publique dès le IIIe siècle. Elle fut le premier noyau civil et religieux: on y construisit la Cathédrale et le Palais de Justice. De nombreux ponts la relient aux rives de la Seine, le long desquelles courent les caractéristiques « quais ». L'un des plus animés et des plus gais est le quai de Montebello qui, du pont de l'Archevêché mène au pont au Double: haut en couleur, c'est le long de ses parapets que s'alignent les caractéristiques boîtes des « bouquinistes », les marchands de livres rares ou curieux et d'estampes anciennes et modernes.

Square du Vert-Galant.

LE PONT-NEUF ET LE SQUARE DU VERT-GALANT – En continuant par le quai St-Michel et le quai des Grands-Augustins nous arrivons à ce pont, qui est le plus vieux de Paris, et dont le projet est dû à Du Cerceau et à Des Illes: commencé sous Henri III en 1578 et terminé sous Henri IV en 1606, il a deux élégantes arches en plein cintre; au milieu se trouve la **statue équestre d'Henri IV.** On y accède par un escalier situé derrière la statue du roi. C'est la pointe la plus avancée de la Cité, un des lieux les plus évocateurs de la ville.

PLACE DU PARVIS – En revenant en arrière, on parcourt le célèbre quai des Orfèvres où, au n. 36 on trouve le siège de la Police Judiciaire; puis on rejoint la place du Parvis, qui marque de façon imaginaire le kilomètre 0 des routes françaises: au centre de la place, en effet, en face de l'église une plaque de bronze indique le point de partance de toutes les routes nationales. Au nord de la place s'élève le grandiose **Hôtel-Dieu,** hôpital fondé au VIIe siècle, mais reconstruit de 1868 à 1878; sur le côté ouest se trouve l'édifice de la **Préfecture de Police.** Majestueuse, Notre-Dame, cathédrale de Paris, domine la place.

Statue équestre d'Henri IV.

Notre-Dame.

NOTRE-DAME

La cathédrale de Notre-Dame s'élève sur l'emplacement d'une basilique chrétienne qui occupait déjà celui d'un temple d'époque romaine préexistant. Sur le désir de l'évêque Maurice de Sully on commença la construction en 1163: on construisit en premier le chœur, puis au cours des années suivantes vinrent les nefs et la façade, terminée par l'évêque Eudes de Sully vers 1200, avec ses tours achevées en 1245. Au maître d'œuvre Jean de Chelles succéda Pierre de Montreuil qui édifia, entre autres, les chapelles. Vers 1250 était également terminée la façade du bras nord du transept: celle du bras sud ne sera commencée que huit ans plus tard. On pouvait considérer l'église comme terminée en 1345. En 1793 elle faillit être abattue: puis durant la Révolution, elle se vit dédiée à la Déesse de la Raison. Reconsacrée en 1802, c'est sous ses voûtes que se déroula le sacre de Napoléon par le pape Pie VII. Restaurée par Viollet-le-Duc entre 1844 et 1864, elle faillit être détruite par un incendie en 1871.

LA FAÇADE — Répartie verticalement en trois parties par des piliers, et horizontalement en trois plans par deux galeries; le rez-de-chaussée est percé de trois portails. Au-dessus court la **Galerie des Rois,** avec 28 statues représentant les rois d'Israël et de Juda. En 1793, le peuple croyant y voir ses rois détestés, les abattit: elles furent remises à leur place par la suite. La zone médiane est percée de deux majestueuses fenêtres géminées, qui encadrent une grande rose d'environ 10 m de diamètre (1220-1225). Au centre, la *statue de la Vierge avec l'Enfant et des anges,* sur les côtés *Adam et Ève.* Au-dessus, une galerie d'étroites arcatures entrecroisées qui relient les tours latérales, non terminées, à très hautes fenêtres géminées. Viollet-le-Duc a peuplé cette zone supérieure de monstres, de figures grotesques aux formes étranges, qui surgissent sur un pinacle, sur une flèche, sur une avancée du mur.

Portails. Portail central dit portail du Jugement. C'est la représentation du Jugement Dernier: sur le pilier qui le divise en deux se trouve la *statue du Christ,* tandis que dans les ébrasures se trouvent de petits panneaux avec les *personnifications des Vices et des Vertus et des statues des apôtres.* Dans la courbe de l'arc, la *cour céleste,* le *Paradis* et l'*Enfer.* Le tympan avec le *Jugement Dernier* est divisé en trois parties, dominées par le Christ avec, à ses côtés, la Vierge, saint Jean et les anges portant les symboles de la Passion. Au-dessous, les élus d'un côté et les damnés de l'autre. Dans la zone inférieure, la *Résurrection.*

Portail de droite, dit portail de Ste Anne. Il remonte à 1160-1170, possède des reliefs des XIIe et XIIIe siècles. Au pilier de séparation, une *statue de St Marcel.* Au tympan, la *Vierge entre deux anges* et sur les côtés l'*évêque Maurice de Sully* et le *roi Louis XII.*

Portail de gauche, dit portail de la Vierge. C'est le plus beau des trois. Au pilier de séparation, la *Vierge avec l'Enfant,* d'époque moderne. Au tympan au-dessus, la *mort, le cou-*

NOTRE-DAME — **Les portails.**

NOTRE-DAME – **Le flanc droit.**

ronnement et l'assomption de la Vierge. Aux piédroits du portail, la représentation des *Mois de l'année,* dans les ébrasures, figures de saints et d'anges.

FAÇADE LATÉRALE SUD – Remarquer, de ce côté de l'église, le *portail de St Étienne* commencé par Jean de Chelles en 1258 et terminé par Pierre de Montreuil, avec une magnifique rose et une autre plus petite dans le gâble. La **flèche,** qui s'élance au centre de la cathédrale, a 90 m de haut: elle a été refaite par Viollet-le-Duc, qui se représenta au milieu des Apôtres et des Évangélistes qui la décorent.

INTÉRIEUR – Les proportions sont imposantes: 130 m de long, 50 de large et 35 de hauteur, pouvant contenir au moins 9000 personnes. Des piliers cylindriques de 5 m de diamètre divisent l'intérieur en une nef principale et un double déambulatoire qui entoure le transept et le chœur. La **grande rose** de la façade, au-dessus d'un orgue du XVIIIe siècle, représente les figures du zodiaque, les travaux des mois, les vices et les vertus. Au-dessus des collatéraux, une tribune à arcades géminées est surmontée de grandes fenêtres. Les **chapelles** qui se succèdent jusqu'au bras transversal du transept sont remplies d'œuvres d'art du XVIIe et du XVIIIe siècles: deux peintures remarquables de Le Brun, le *Martyre de St Étienne* et le *Martyre de St André,* respectivement dans la 1ère et la 2ème chapelle à droite. Les deux extrémités du transept ont de splendides vitraux du XIIIe siècle. La rose nord (1250 env.) représente des sujets de l'Ancien Testament et au centre la *Vierge avec l'Enfant;* la rose sud, restaurée au XVIIIe siècle, représente au centre le *Christ bé-*

NOTRE-DAME
La rose de l'extrémité
sud du transept.

NOTRE-DAME
Statue de
Notre-Dame de Paris.

nissant entouré d'apôtres et de martyrs, de Vierges sages et de Vierges folles. Du transept on passe dans le **chœur**: au pilier de droite de l'entrée est adossée la célèbre *statue de Notre-Dame de Paris,* œuvre du XIVe siècle provenant de la chapelle de Saint-Aignan. Le **sanctuaire** est entouré de magnifiques boiseries (stalles) du XVIIIe; sur le maître-autel, statue de la *Pietà* de Nicolas Coustou au centre, et sur les côtés celles de *Louis XIII* par Guillaume Coustou et de *Louis XIV* par Coysevox. Une clôture de marbre demeurée inachevée, ornée de reliefs (œuvre de Jean Ravy et de Jean Le Bouteiller) sépare le chœur du déambulatoire, dont les chapelles rayonnantes possèdent de nombreux tombeaux. A droite, entre la Chapelle de St Denis et celle de Ste Madeleine, se trouve l'entrée du **Trésor**: parmi les pièces d'orfèvrerie et les reliques précieuses, se trouvent aussi un fragment de la Vraie Croix, la Couronne d'Épines et le Clou Sacré.

ABSIDE — C'est une des plus audacieuses du Moyen-Age, avec ses arcs rampants qui atteignent un rayon de 15 m, œuvre de Jean Ravy (XIVe siècle).

NOTRE-DAME – **L'abside vue du square Jean XXIII.**

Panorama de Notre-Dame.

NOTRE-DAME — **Viollet-le-Duc**: monstres.

Panorama de Notre-Dame.

De l'abside de Notre-Dame on arrive au **square Jean XXIII**, dont l'aspect actuel et la fontaine néo-gothique sont dus à un réaménagement de 1844. Parcourons maintenant le **quai aux Fleurs** et le **quai de Corse**: ici se tient chaque jour un pittoresque et caractéristique marché aux fleurs, que remplace

Le Quai aux Fleurs.

le dimanche un non moins caractéristique marché aux oiseaux aux mille couleurs. Dépassant le **pont Notre-Dame,** nous découvrons le siège du **Tribunal de Commerce,** puis le **pont au Change,** dont le nom vient des nombreuses boutiques des changeurs qui, au Moyen-Age avaient là leur siège principal.

LE PALAIS DE JUSTICE

C'est un vaste ensemble d'édifices comprenant le **Palais de Justice** proprement dit, la **Sainte-Chapelle** et la **Conciergerie.** En ce même lieu, les gouverneurs romains avaient déjà leur « quartier général administratif et militaire »: les rois de la dynastie mérovingienne en firent autant, puis les Capétiens y érigèrent une chapelle et un donjon. Au XIIIe siècle, le roi Saint Louis y édifia la Sainte-Chapelle et au siècle suivant Philippe le Bel fit construire la Conciergerie. En 1358, après la sanglante révolte des Parisiens guidée par Étienne Marcel, Charles V préféra se transporter au Louvre et laissa le palais au Parlement, qui s'y installa comme Cour suprême de la Justice du royaume.

Par la suite, des incendies endommagèrent à plusieurs reprises le palais; en 1618, ce fut la Grande Salle qui brûla, en 1630 la grande flèche de la Sainte-Chapelle, en 1737 la Cour des Comptes, en 1776 la Galerie des Marchands. L'organisation judiciaire, qui jusque là était restée intacte, fut bouleversée par la Révolution. Les nouveaux tribunaux s'installèrent dans l'ancien édifice qui, à dater de là prit le nom de Palais de Justice. D'autres restaurations importantes effectuées sous la direction de Viollet-le-Duc, donnèrent à l'édifice son aspect actuel. La monumentale façade de l'édifice donne sur le boulevard du Palais. A droite, la **Tour de l'Horloge,** qui remonte au XIVe siècle. L'horloge est de 1334, tandis que les reliefs sont de Germain Pilon (1585). Puis vient la façade du Tribunal Civil, dans le style du XIIIe mais construite en 1853. Au milieu de la façade, une très haute grille (1783-1785) donne accès à la **Cour du Mai,** construite en 1786 par Antoine et Desmaisons. De là, par un passage voûté, sur la gauche, on arrive à la Sainte-Chapelle.

La Tour de l'Horloge.

La Sainte-Chapelle.

LA SAINTE-CHAPELLE

C'est Saint Louis qui décida de sa construction, afin d'y conserver la Couronne d'Épines qu'il avait achetée en 1239 à Venise, et c'est Pierre de Montreuil qui en fit le projet et imagina deux chapelles superposées, qui furent consacrées en 1248. Au-dessus d'un soubassement élevé (qui correspond à la chapelle inférieure), s'ouvrent de vastes verrières couronnées de gâbles. Le toit à versants très inclinés possède une balustrade de marbre et une flèche très élancée de

31

SAINTE-CHAPELLE – **Chapelle basse.**

75 m de haut. Deux tours à flèche enserrent la façade précédée d'un porche surmonté d'une grande rose à meneaux (fin du XVe) avec des sujets de l'Apocalypse.

Chapelle basse. Haute de 7 m à peine, elle est divisée en trois nefs, la nef centrale étant énorme par rapport aux bas-côtés assez réduits. Un motif d'arcatures trilobées surmontées de colonnettes court le long des parois. Au fond, une **abside** polygonale. La chapelle est caractérisée par une très riche décoration polychrome.

Chapelle haute. On y accède par un escalier intérieur. A une seule nef, elle a 17 m de large et 20 m, 50 de haut. Tout autour de la nef court une haute plinthe interrompue par des arcs de marbre ajourés, où par endroits s'ouvrent des niches profondes. Les deux niches de la troisième travée étaient réservées au Roi et à sa famille. Contre chaque pilier est adossée la statue d'un apôtre, du XIVe siècle. Tous les éléments architectoniques de la chapelle sont ainsi réduits au minimum afin de permettre l'insertion des 15 grandes *verrières* hautes de 15 m qui, avec leurs 1134 scènes, couvrent une superficie de 618 m². Elles sont du XIIIe siècle et représentent en des couleurs éblouissantes, des scènes tirées de la Bible et de l'Évangile.

SAINTE-CHAPELLE – **Chapelle haute.**

33

La Conciergerie.

LA CONCIERGERIE

Le sévère édifice remonte à l'époque de Philippe le Bel, c'est-à-dire de la fin du XIIIe au début du XIVe. Le nom de Conciergerie dérive de *concierge,* nom du gouverneur royal sous la direction duquel était placé l'édifice. Celui-ci occupe aujourd'hui l'aile nord du Palais de Justice. Du quai de la Mégisserie on peut admirer dans toute sa splendeur le flanc de l'édifice, avec ses deux tours jumelles: à droite la **Tour d'Argent,** où était conservé le trésor de la Couronne; à gauche la **Tour de César.** A partir du XVIe siècle, la Conciergerie fut prison d'État: durant la révolution, ses cachots abritèrent des milliers de citoyens condamnés à mort: Marie-Antoinette, Madame Élisabeth sœur du roi, Charlotte Corday, le poète André Chénier....

INTÉRIEUR *(L'entrée se trouve au n. 1 du quai de l'Horloge)* — Au rez-de-chaussée se trouve la **Salle des Gardes,** avec de puissants piliers qui soutiennent les voûtes gothiques et l'immense **Salle des Gens d'Armes.** Cette dernière a quatre nefs, 68 m de long, 27 de large et 8 de haut: c'était l'ancienne salle à manger du roi. Dans les cuisines voisines, avec leurs quatre énormes cheminées aux

34

angles, on préparait des repas pour mille invités au moins.
Dans une grande pièce aux voûtes en croisée d'ogives, les
détenus pouvaient, contre paiement, obtenir une paillasse
pour passer la nuit; dans une autre pièce, appelée ironique-
ment la *rue de Paris* étaient rassemblés les prisonniers pauvres. La cellule la plus évocatrice est sans nul doute celle
qui fut occupée du 2 août au 16 octobre 1793 par Marie-
Antoinette, et transformée en chapelle en 1816 par la seule
fille de Louis XVI ayant survécu, la duchesse d'Angoulême.
Le cachot communique actuellement avec celui qu'occupa
d'abord Danton, puis Robespierre. De là on passe à la **Chapelle des Girondins,** qui avait été transformée en prison
collective: le crucifix de Marie-Antoinette y est conservé.
De la Chapelle on accède au **Jardin des Femmes,** destiné
aux prisonnières.

L'ÎLE SAINT-LOUIS

En retournant en amont de la Cité et en traversant le moderne pont Saint-Louis, nous arrivons en ce lieu séduisant
et plein du charme du passé qu'est l'Île Saint-Louis. Parcourons le quai d'Orléans: au n. 6 nous trouvons la **Bibliothèque Polonaise** et le petit **Musée Adam-Mickiewicz,**
avec d'importantes reliques de la vie de Chopin. Au n. 12,
un médaillon rappelle la naissance du poète Arvers. Une
fois passé le **pont de la Tournelle,** construit en bois la
première fois en 1370, reconstruit à plusieurs reprises et
surmonté d'une statue de *Ste Geneviève,* on rejoint l'**église
de St-Louis-en-l'Île,** commencée en 1664 d'après un
projet de Le Vau et terminée seulement en 1726. L'intérieur,
à trois nefs, est d'un baroque fasteux, avec une profusion
d'or, d'émaux et de marbres polychromes.
Une fois sortis de l'église et passé le pont Sully, nous nous
trouvons à la pointe de l'île, occupée par le square Henri IV,
minuscule jardin avec le *monument du sculpteur A. L. Barye.*
En continuant par le quai d'Anjou, nous trouvons les plus
beaux hôtels de la petite île. Au n. 2 se trouve l'**Hôtel Lambert,** construit en 1640 par Le Vau et décoré par Le Brun et
Le Sueur; au n. 17 se trouve l'entrée de l'**Hôtel de Lauzun,**
un des plus fasteux exemples de demeure privée du XVIIe
siècle. Il fut construit en 1657 d'après un projet de Le Vau:
il appartint au duc de Lauzun (dont il garda le nom) pendant
trois ans seulement. Théophile Gautier y fonda le « Club des
Haschischins » et y habita avec l'autre grand poète Charles Baudelaire. L'Hôtel appartient aujourd'hui à la Ville de
Paris, qui y reçoit ses hôtes de marque. Continuons, et nous
trouvons au n. 27 la demeure du marquis de Lambert, qui
donna naissance à un cercle littéraire, puis, par le quai de
Bourbon, revenons à la pointe de l'île.

LE LOUVRE *(Métro: ligne 1 — Station Louvre).*

Cet itinéraire est entièrement consacré à la visite du Musée du Louvre. La visite complète demande une journée entière.
Heures d'ouverture du Musée: de 9 h 45 à 17 h 15. Fermé le mardi et certains jours fériés (1er janvier, Ascension, 1er mai, 14 juillet, 15 août, 1er novembre, 25 décembre). Entrée principale: Pavillon Denon.

LE LOUVRE

SON HISTOIRE — Son origine remonte à la fin du XIIe siècle, lorsque Philippe-Auguste, partant pour la IIIe croisade, fit construire près du fleuve une forteresse qui défendrait Paris des incursions des Saxons (le nom de Louvre, en effet, semble dériver du mot saxon « leovar » qui signifie « habitation fortifiée »): ce premier noyau occupait environ un quart de l'actuelle Cour Carrée. Le roi préférait encore habiter dans la Cité, ainsi la forteresse abritait le Trésor et les archives. Au XIVe siècle, Charles V le Sage en fit sa propre demeure et y fit construire sa célèbre Librairie. A partir de cette époque, aucun roi n'habita plus le Louvre jusqu'en 1546, lorsque François 1er chargea Pierre Lescot de faire abattre la vieille forteresse et de construire sur les fondations un nouveau palais plus conforme aux goûts de la Renaissance. Les travaux se poursuivirent avec Henri II et avec Catherine de Médicis, qui confia à Philibert Delorme la tâche de construire le palais des Tuileries et de le relier au Louvre par un bras se prolongeant vers la Seine. Les modifications et les agrandissements du palais continuèrent sous Henri IV, qui fit construire le Pavillon de Flore, sous Louis XIII et sous Louis XIV, qui complétèrent la Cour Carrée et firent construire la façade est avec la colonnade. En 1682, avec l'installation de la cour à Versailles, les travaux furent presque abandonnés et le palais se détériora tellement qu'on envisagea même (en 1750) de le démolir. Les tra-

LOUVRE — Le palais vu de la place du Carrousel.

LOUVRE — Le Pavillon de l'Horloge.

vaux, interrompus durant la Révolution, furent repris par Napoléon Ier: ses architectes Percier et Fontaine commencèrent la construction de l'aile nord, terminée en 1852 par Napoléon III, qui se décida finalement à terminer le Louvre. Durant les jours de la Commune, en mai 1871, le palais des Tuileries brûla et le Louvre prit son aspect actuel. Après la dispersion de l'importante Librairie de Charles le Sage, c'est François Ier qui, au XVIe siècle, commença une collection artistique. Elle s'accrut notablement sous Louis XIII et sous Louis XIV, au point qu'à la mort de ce dernier, le Louvre abritait déjà régulièrement des expositions de peinture et de sculpture. Le 10 août 1793, on l'ouvrit au public, et la galerie devenait finalement musée. A partir de ce moment, ce fut un accroissement continuel: Napoléon Ier imposait même aux nations vaincues un tribut en œuvres d'art. Le nombre de pièces qui figurent aujourd'hui au catalogue arrive à près de 400.000, réparties en divers départements: des antiquités égyptiennes, grecques et romaines aux antiquités orientales, de la sculpture médiévale à la sculpture moderne, des objets d'art (parmi lesquels le Trésor royal) aux immenses collections de peinture.

LE MUSÉE

Le Musée du Louvre est actuellement en phase de réaménagement et sa restructuration définitive devrait être terminée au cours de 1975. L'itinéraire de visite suivant correspond au moment de la rédaction de ce texte, donc ne tient pas compte des déplacements éventuels qui pourraient se produire par la suite.

REZ-DE-CHAUSSÉE
ANTIQUITÉS ORIENTALES

Salle I: une grande partie des objets contenus dans cette salle provient de la ville de Tello, ancienne Girsou, autrefois capitale du Lagash. *Stèle du roi Naram-Sin* et *stèle des Vautours,* célébrant la victoire d'un roi du Lagash; **Salle II:** onze statues représentant *Goudéa* debout ou assis (IIIe millénaire). Dans la vitrine n. 10, *tête de Goudéa coiffé d'un turban;* **Salle III:** pièces de la ville de Mari (IIIe millénaire). **Panneau** représentant des prisonniers défilant devant le roi de Mari et ses enfants; **Salle IV:** *code de Hammourabi* (début du IIe millénaire), bloc de basalte noir portant gravées les 282 lois; **Salle V:** objets d'or provenant de Suse (IVe et IIIe millénaires). Dans les vitrines, céramique de Suse; **Salle VI:** *statue en bronze de Napir-Asou* reine de Suse; **Salle VII:** énorme chapiteau provenant du palais d'Artaxerxès à Suse, *lion* en terre cuite émaillée; **Salle VIII:** *bas-relief des Ar-*

REZ-DE-CHAUSSÉE

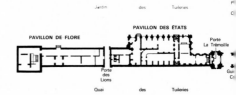

LOUVRE — **Pavillon Denon.**

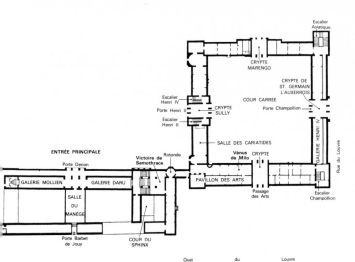

Escalier Asiatique

CRYPTE MARENGO

CRYPTE DE ST. GERMAIN L'AUXERROIS

COUR CARRÉE

Porte Champollion

Escalier Henri IV

Porte Henri II

CRYPTE SULLY

Escalier Henri II

SALLE DES CARIATIDES

GALERIE HENRI IV

Rue du Louvre

ENTRÉE PRINCIPALE

Porte Denon

Victoire de Samothrace

Rotonde

Vénus de Milo

CRYPTE

GALERIE MOLLIEN

GALERIE DARU

PAVILLON DES ARTS

SALLE DU MANÉGE

Passage des Arts

Escalier Champollion

Porte Barbet de Jouy

COUR DU SPHINX

Quai   du   Louvre

39

MUSÉE DU LOUVRE – Art égyptien: **le Scribe accroupi.**

MUSÉE DU LOUVRE – Art égyptien: **Fillette respirant une fleur.**

41

chers en brique émaillée (époque achéménide) et tablette en terre cuite avec l'inscription dite *Code de Darius;* **Salle IX:** panneaux émaillés provenant de Suse, avec des lions et des griffons; **Salle X:** pièces provenant de l'Iran, du IVe siècle av. J.-C. et du IIIe siècle ap. J.-C.; **Salle XI:** bronzes du Ier millénaire av. J.-C. provenant de Louristan; **Salle XII:** vaisselle d'époque sassanide (IIe-VIe siècle ap. J.-C.). Les collections des **salles XIII à XVIII** proviennent de l'ancienne Phénicie, actuels Syrie et Liban. **Salle XIX:** art crétois (IIIe-VIe siècle av. J.-C.); **Salle XX:** pièces de l'Anatolie et de la Syrie du Nord; **Salle XXI:** bas-reliefs assyriens du VIIIe siècle av. J.-C. représentant le transport du bois pour la construction du palais de Sargon à Khorsabad; **Salle XXII:** trois puissants taureaux ailés du palais royal de Khorsabad; **Salle XXIII:** sculptures provenant du palais d'Assurbanipal à Ninive du VIIe siècle av. J.-C.; **Salle XXIV:** elle est constituée par la crypte de l'église St Germain-l'Auxerrois, avec des sarcophages égyptiens et une belle *statue en bois d'Osiris.*

ANTIQUITÉS ÉGYPTIENNES
Salle I: stèles; **Salle II:** dite du *Mastaba,* la chambre d'offrandes du tombeau d'un dignitaire de la Ve dynastie; **Salle III:** *stèle du roi Uadji* et *statue de Sepa avec son épouse;* **Salle IV:** bas-relief avec une *fillette respirant une fleur* et trois colonnes de granit rose, statues et stèles en calcaire; **Salle V:** au milieu de la salle, le fameux *Scribe accroupi* (Ve Dynastie); **Salle VI:** pièces du Moyen-Empire, avec une architrave en calcaire du Pharaon Sésostris III; **Salle VII:** *statue en bois du chancelier Nakhti,* de la XIIe Dynastie, et dans une vitrine la statuette en bois de la *Porteuse d'offrandes;* **Salle VIII:** belle caisse intérieure du sarcophage du chancelier Nakhti; **Salle IX:** *statue colossale de Séthi II.* Les salles suivantes sont fermées actuellement.

ANTIQUITÉS GRECQUES ET ROMAINES
Salle I: la *Dame d'Auxerre* (une des plus anciennes sculptures grecques, du VIIe siècle av. J.-C.); bas-relief de l'*Exaltation de la Fleur* (Ve siècle av. J.-C.); **Salle II:** *Frise des Panathénées,* provenant du Parthénon d'Athènes; **Salles III à VI:** œuvres de Polyclète, Phidias et Praxitèle; **Salle VII:** la *Vénus de Milo,* de la période hellénistique (fin du IIe siècle av. J.-C.); **Salle VIII:** Salle de Lysippe, avec *Hermès attachant sa sandale;* **Salle IX:** *portrait d'Alexandre le Grand,* réplique ancienne d'un original de Lysippe; **Salle X:** Salle des Cariatides (les quatre cariatides qui soutiennent la tribune sont de Jean Goujon et la salle fut construite par Lescot), avec des répliques anciennes d'originaux hellénistiques, parmi lesquelles le *Gladiateur Borghèse;* **Salle XI:** reliefs hellénistiques et gréco-romains; **Salle XII:** dite Salle du Phénix, fresques et mosaïques; **Salle XIII:** Cour du Sphinx (on doit la façade à Le Vau) avec des monuments provenant d'Asie Mineure, dont les bas-reliefs de l'architrave du

temple d'Assos et ceux de la frise du *temple d'Arthémis* à Magnésie; **Salle XIV**: salle des reliefs romains, avec un fragment de la frise de l'Autel de la Paix à Rome (9 av. J.-C.); **Salle XVI**: salle d'Auguste, avec un *portrait* en basalte noir de *Livia*, une statue représentant *Auguste* (considérée comme un des plus beaux portraits de l'empereur) et un *Octave sous les traits de Mercure orateur;* **Salle XVII**: salle des Antonins, avec des portraits peints à l'encaustique provenant de la région de Fayoum en Égypte; **Salle XVIII**: salle des Sévères, avec des *portraits de Trajan, d'Hadrien, d'Antonin le Pieux,* etc., et un *portrait de Julia Domna,* femme de Septime Sévère et mère de Caracalla; **Salle XIX**: salle de la Paix, avec des portraits de *Julia Paula,* première femme d'Élagabal, et de *Julia Mammea,* mère d'Alexandre Sévère; **Salle XX**: salle des Saisons, avec *Mithra tuant un taureau* et une statue de *Julien l'Apostat;* **Salle XXI**: statues en pierre de couleurs diverses représentant des prisonniers barbares.

1er ÉTAGE

En entrant dans le musée par la Galerie Denon et en montant par l'escalier Daru, nous nous trouvons devant la célèbre *Victoire de Samothrace,* original hellénistique (IIIe-IIe siècle av. J.-C.) découvert en 1863 dans l'île de Samothrace.

Par une majestueuse grille en fer forgé, à gauche de la Victoire, on entre dans la **Galerie d'Apollon,** de l'époque d'Henri IV, mais restaurée par Le Vau, avec sa voûte peinte par Le Brun. Elle abrite le Trésor royal. Il faut remarquer la *couronne de Saint Louis,* du XIIIe siècle, la *couronne de Louis XV* et *celle de Napoléon Ier,* dans la IIe vitrine; les joyaux de la Couronne, parmi lesquels le fameux *Régent* (diamant de 137 carats) et l'*Hortensia* (de 20 carats), dans la IVe vitrine; plusieurs pièces du *Trésor de St-Denis,* dans la VIe vitrine et le *Trésor de l'Ordre du St-Esprit* dans la IXe et la Xe vitrines.

ANTIQUITÉS GRECQUES ET ROMAINES

De la Rotonde (au sommet de l'escalier Daru), on arrive à la **Salle des Bijoux.** Dans les vitrines se trouve le célèbre

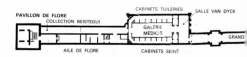

Trésor de Boscoreale, avec l'argenterie trouvée dans une « villa » à Boscoreale, détruite en 79 ap. J.-C. par l'éruption du Vésuve. En traversant la **Salle des Sept Cheminées** (on y voit exposés de grands tableaux d'école italienne du XVIIe et du XVIIIe siècles, comme *la Mort de la Vierge* du Caravage, *la Chasse* et *la Pêche* d'Annibal Carrache et d'autres œuvres de Salvator Rosa, du Guerchin et du Guide), on arrive dans la **Salle Clarac,** puis dans la **Galerie Campana.** Cette dernière comprend 9 salles, où sont rassemblés des exemplaires de terres cuites grecques. Avec celles-ci on peut suivre clairement l'évolution de la céramique grecque, du Xe au IVe siècle av. J.-C.

ANTIQUITÉS ÉGYPTIENNES

On arrive aux salles égyptiennes par la gauche, au fond de la Galerie Campana. **Salle A :** consacrée à la préhistoire et à la protohistoire (4000-3200 av. J.-C.) et à l'époque thinite (3200-2000 av. J.-C.), avec des ustensiles et des armes, dont le *couteau de Djebel el Arak,* au beau manche d'ivoire sculpté; **Salle B :** Ancien-Empire (2800-2400 av. J.-C.) et première période intermédiaire (2400-2060 av. J.-C.); **Salle C :** Moyen-Empire (2060-1785 av. J.-C.), seconde période intermédiaire (1785-1580 av. J.-C.); **Salle D :** Époque Ramesside, XIXe et XXe Dynasties, avec les statuettes funéraires dites *chaouabtis* dans la 1ère vitrine; **Salle E :** époque amarnienne, avec le *buste d'Aménophis IV* au milieu et le petit groupe du roi et de la reine dans une vitrine; **Salle F :** époque pré-saïte et saïte avec la *statue en bronze de la reine Karomama* et un bijou en or massif dit la *Triade du roi Osorkon II;* **Salle G :** époque saïte; **Salle H :** époques ptolémaïque, romaine et copte, au centre la *statue d'Horus,* avec sa tête de faucon.

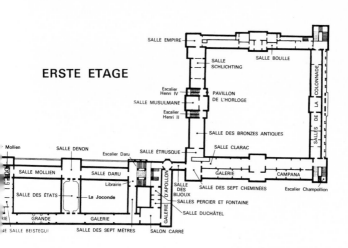

ERSTE ETAGE

En repassant par les salles de Antiquités Égyptiennes, on accède à gauche aux **Salles de la Colonnade.**
Salle 1 : le plafond à caissons dorés et une partie des décorations proviennent de la chambre du Conseil du Pavillon de la Reine du Château de Vincennes, voisin de Paris; **Salle 2 :** plafond et alcôve provenant de la chambre du roi au Louvre (1654); **Salle 3 :** plafond, revêtements et portes provenant de la Chambre de Parade du roi au Louvre; **Salle 4 :** objets d'art paléo-chrétien byzantin et carolingien *(triptyque Harbaville* et *reliquaire du bras de Charlemagne* dans la 1ère vitrine); **Salle 5 :** ivoires de Paris et émaux de Limoges; **Salle 6 :** bronzes italiens du XVe et du XVIe siècles (œuvres de l'Antiquité, de l'école de Donatello, de Jean Bologne, etc.); **Salle 7 :** tapisseries, émaux et céramiques des XVe et XVIe siècles, céramiques italiennes, hispano-mauresques, tapisseries des *Chasses de Maximilien* (tissées à Bruxelles d'après un dessin de Van Orley en 1535). Les salles suivantes (les deux ailes de la Cour Carrée) sont consacrées aux meubles, aux tapisseries et à la décoration du XVIe au XIXe siècle; **Salle 8 :** tapisserie du *Martyre de St Mammès,* dessinée par Jean Cousin et tissée par Pierre Blassé et Jacques Langlois; **Salle 9 :** trois tapisseries dites *la Noble Pastorale* (début du XVIe siècle); **Salle 10 :** bijoux, ivoires, horloges; **Salle 11 :** bronzes Renaissance et tapisseries de Simon Vouet; **Salle 12 :** salle du maréchal d'Effiat, avec des tapisseries des Gobelins l'*Histoire de Scipion,* de Jules Romain; **Salles 13 et 14 :** meubles du célèbre ébéniste André-Charles Boulle; **Salle 16 :** Régence, avec des meubles de Boulle et de Charles Cressent et les tapisseries de l'*Histoire de Psyché,* de Noël Coypel; **Salles 17 à 19 :** Rotonde des Saisons, céramiques de Rouen; **Salle 20 :** porcelaines; **Salle 22 :** bijoux; **Salle 23 :** Galerie des Tabatières (le Louvre possède une des plus belles collections mondiales de tabatières, boites, bonbonnières, horloges et montres du XVIIe et du XVIIIe siècles, ciselées, décorées d'émaux, de miniatures et de pierres précieuses); **Salle 24 :** consacrée à l'époque de Louis XV; **Salle 25 :** dite « de Marie Leczinska », avec un *nécessaire* offert à Marie Leczinska à l'occasion de la naissance du Dauphin en 1729; **Salle 26 :** petite salle Louis XV, avec des tapisseries des Gobelins et de Beauvais; **Salle 27 :** dite le « Bureau du Roi », avec des tapisseries des Gobelins dont le dessin est attribué à Lucas de Leyde; **Salle 28 :** Salle Oeben, avec le *bureau du roi,* du célèbre ébéniste J. F. Oeben; **Salle 29 :** dite Salon Condé, avec des meubles provenant de la demeure des Condé; **Salle 30 :** Louis XVI, avec des meubles de Hauré et de Benneman (1787); **Salle 31 :** Salle Lebaudy, avec un mobilier de style Louis XVI; **Salle 32 :** Cabinet Chinois avec, sur les murs, une série de panneaux chinois en papier peint, de la fin du XVIIIe siècle; **Salles 33, 34 et 35 :** Cabinet de Marie-Antoinette, avec des meubles et des objets ayant appartenu en grande partie à la reine (remarquer le nécessaire de voyage de Marie-Antoinette, exé-

cuté à Paris en 1787-1788); **Salle 36**: l'Empire, avec le *trône de Napoléon Ier,* exécuté en 1804 d'après un dessin de Percier par Jacob-Desmalter et une grande armoire à bijoux de l'impératrice Joséphine; **Salle 37**: de Louis XVIII, avec le *berceau du Roi de Rome,* en osier, exécuté par Jacob-Desmalter et Thomire d'après un dessin de Prud'hon et, en face, le lit monumental de Louis XVIII; **Salle 38**: collection d'Adolphe de Rothschild, avec un bas-relief d'Agostino di Duccio représentant *la Vierge avec l'Enfant et des Anges* et un *triptyque-reliquaire* en argent doré provenant de l'abbaye de Floreffe (art flamand, milieu du XIIIe siècle); **Salle 39**: collection Camondo, composée surtout de meubles et d'objets d'art français du XVIIIe siècle; **Salle 41**: collection Schlichting, meubles français du XVIIIe siècle; **Salle 42**: collection Thiers, nombreuses porcelaines du XVIIIe, petits bronzes italiens de la Renaissance, ivoires, terres cuites, laques japonais, jades chinois.

COLLECTIONS DE PEINTURE

On y arrive par le palier intermédiaire de l'escalier Daru, à gauche de la Victoire de Samothrace: sur la paroi de droite, nous nous trouvons devant une fresque détachée de l'église San Marco à Florence, représentant la *Crucifixion* de Fra Angelico.

Salle des Sept mètres, consacrée à la peinture hollandaise du XVIIe siècle; Frans Hals: *La Bohémienne;* Rembrandt: *Les pèlerins d'Emmaüs, Autoportrait âgé, Bethsabée au bain, Autoportrait à la toque et à la chaîne d'or;* S. Ruysdael: *Nature morte au dindon;* J. Ruysdael: *Coup de soleil.*

Grande Galerie, consacrée à la peinture française des XVIIe et XVIIIe siècles; Poussin: *L'inspiration du poète, l'Enlèvement des Sabines, Écho et Narcisse;* Georges de La Tour: *la Madeleine;* Louis Le Nain: *La charrette;* Claude Lorrain: *le Campo Vaccino à Rome, Port de mer au soleil couchant;* Charles Le Brun: *Portrait du Chancelier Séguier;* Antoine Watteau: *Gilles,* l'*Embarquement pour l'île de Cythère;* Boucher: *le Repos de Diane après le bain.*

L'aile Mollien abrite actuellement une série de portraits du XVIIe et du XVIIIe: parmi ceux-ci, l'*Enfant au toton* et l'*Enfant au violon* de Chardin, *Madame Trudaine* de David, les *portraits* qu'Ingres exécuta pour la famille Rivière, la *Femme à la Perle* de Corot.

Salle Mollien, consacrée à la grande école française du XVIIIe siècle; David: *Le Sacre de Napoléon, Le Serment des Horaces, Portrait de Madame Récamier;* Ingres: l'*Apothéose d'Homère, la Grande Odalisque;* Prud'hon: *La Justice et la Vengeance poursuivant le crime.*

MUSÉE DU LOUVRE – Charles Le Brun: **portrait du Chancelier Séguier**.

MUSÉE DU LOUVRE — Eugène Delacroix: **La Liberté guidant le peuple**.

MUSÉE DU LOUVRE — J.-L. David: **Le Sacre de Napoléon**.

Salle Denon; Ingres: *Roger et Angélique;* Géricault: *Portrait d'un artiste.*

Salle Daru; Gros: *Napoléon visitant les pestiférés de Jaffa;* Géricault: *le Radeau de la Méduse;* Delacroix: *les Massacres de Scio, la Liberté guidant le peuple, Femmes d'Alger;* Courbet: *l'Enterrement à Ornans.*

Salle des États, consacrée à la peinture italienne du XVIe siècle. La petite salle des États (qui donne accès à la salle la plus grande) abrite l'*Annonciation* de Léonard de Vinci, *Apollon et Marsyas* du Pérugin, et une belle série d'œuvres de Raphaël: *Portrait de Baldassare Castiglione, la Belle Jardinière, St Georges et St Michel archange.* Puis nous passons dans la grande salle. Léonard de Vinci: *La Joconde* (peinte entre 1502 et 1503, achetée par François Ier pour 4000 ducats d'or), *la Vierge aux Rochers, la Vierge avec l'Enfant Jésus et Ste Anne;* Le Corrège: *Le sommeil d'Antiope* et *le Mariage mystique de Ste Catherine;* Lorenzo Lotto: *la Sainte Famille;* Palma le Vieux: *L'Adoration des bergers;* Titien: *L'homme au gant, Femme à sa toilette, Mise au tombeau, la Vénus du Pardo, Portrait de François Ier* et, dernièrement, après de longues années pour l'attribution à Giorgione, le *Concert champêtre;* Tintoret: *Suzanne au bain;* Véronèse: *Les Noces de Cana.*

Grande Galerie, partie ouest, consacrée à la peinture italienne du XIIIe au XVe siècle. Cimabue: la *Vierge aux Anges;* Giotto: *St François recevant les stigmates;* Simone Martini: le *Portement de croix;* Pisanello: *Portrait d'une princesse de la Maison d'Este;* Ambrogio Lorenzetti: *Histoire de St Nicolas de Bari;* Gentile da Fabriano: *La Présentation au temple;* Baldovinetti: *la Vierge adorant l'Enfant Jésus;* Paolo Uccello: *La Bataille de San Romano;* Fra Angelico: *Le Couronnement de la Vierge;* Botticelli: *La Vierge, l'Enfant et St Jean enfant;* Mantegna: *Le Calvaire, St Sébastien;* Antonello de Messine: *Condottiere;* Giambellino: *Portrait d'homme;* Ghirlandaio: *Vieillard avec son petit-fils;* le Pérugin: *la Vierge avec des saints et des anges;* Giovanni Bellini: *Sainte Conversation;* Carpaccio: *Prédication de St Étienne à Jérusalem.*

Salle Van Dyck, consacrée à la peinture flamande du XVIIe. Rubens: *La Kermesse, Portrait d'Hélène Fourment avec deux de ses enfants;* Van Dyck: *Portrait de Charles Ier d'Angleterre.*

Galerie Médicis, avec 21 toiles immenses de Rubens sur la *Vie de Marie de Médicis,* exécutées entre 1622 et 1625.

Cabinets Sud, qui abritent des peintures des écoles française et flamande du XIVe au XVIe siècle. On y trouve des œuvres d'une grande valeur artistique, comme celles de Joos van Clève, de Jan van Eyck *(La Vierge au chancelier Rolin),* de Rogier van der Weyden *(Triptyque de la famille Braque),* de Petrus Christus, de Jean Fouquet *(Portrait de Charles VII),* du Maître de Moulins *(Ste Madeleine),* de Hans Memling,

de Bosch, de Gérard David et de Quentin Metsys *(Le prêteur et sa femme).* On y voit également la célèbre *Pietà d'Avignon,* d'un anonyme français, exécutée vers 1640.

Cabinets Nord, qui abritent des peintures des écoles nordiques des XVIe et XVIIe siècles. Ici aussi, de remarquables artistes: Cranach, Dürer *(Autoportrait,* de 1493), Holbein le Jeune *(Portrait d'Anne de Clèves),* Mabuse, Lucas de Leyde, Peter Brueghel le Vieux *(Les mendiants),* Jean Clouet *(Portrait de François Ier),* Vermeer *(La dentellière),* Brueghel de Velours, David Téniers le Jeune, etc.

Aile de Flore, où sont exposées des œuvres de peinture italienne du XVIIe et du XVIIIe siècles: Orazio Gentileschi

MUSÉE DU LOUVRE — École d'Avignon: **la Pietà de Villeneuve-lès-Avignon (détail)**.

Rubens: **la Kermesse**.   J.-F. Millet: **l'Angélus**.

MUSÉE DU LOUVRE – E. Murillo: **Le jeune mendiant**.

(le Repos en Égypte); le Caravage *(La diseuse de bonne aventure);* Salvator Rosa, Guardi, Tiépolo, Magnasco. Dans un secteur de cette aile est conservée la **collection Beistégui,** avec des œuvres de Fragonard, Rubens, David, Ingres *(Portrait du sculpteur Bartolini),* Goya *(Portrait de la comtesse del Carpio).*

Pavillon de Flore, entièrement consacré à la peinture espagnole. Le Gréco *(Crucifixion, Portrait de St Louis roi de France);* Zurbaran *(Exposition du corps de St Bonaventure);* Ribeira *(Le mendiant);* Murillo *(Jeune mendiant);* Vélasquez *(Portrait de l'Infante Marguerite);* Goya *(La femme à l'éventail).*

Au IIème étage du même pavillon de Flore est exposée une série de pastels, du XVIIe au XIXe siècle. La collection comprend des œuvres de Le Brun, Rosalba Carriera, Nattier, La Tour, Millet, Manet, Degas, Odilon Redon, etc.

IIème ÉTAGE (aile sud)

COUR CARRÉE – Pour parvenir à ces salles, qui abritent des peintures françaises du XIXe siècle, il faut retourner à l'étage de la Victoire de Samothrace, passer par la Salle des « Sept Cheminées », traverser la Salle des Antiquités Égyptiennes puis, par un escalier, monter au IIe étage.

Salle I, dite « des portraits néo-classiques »: Gros *(Madeleine Pasteur),* David *(Portrait de A. Mongez avec sa femme),* Ingres *(Portrait de Talma);* **Salle II,** salle Ingres: Ingres *(Le bain turc,* de 1862, la *Source),* Chassériau *(La Vénus marine),* Prud'hon *(le Bain de Vénus);* **Salle III,** divisée en petits cabinets réservés aux intimistes et aux paysagistes: de Valenciennes *(24 études de Rome et de la campagne romaine),* Corot *(Vue de Tivoli, Ischia, Florence, la Trinité-des-Monts, Moulin à Étretat);* **Salle IV,** salle romantique: œuvres de Géricault *(Le Derby à Epsom, Officier de Chasseurs à cheval),* de Delacroix *(L'assassinat de l'évêque de Liège, Hamlet et Horatio au cimetière):* **Salle V,** de la donation Moreau-Nélaton: Delacroix *(Nature morte au homard),* Corot *(Vue de Volterra, Vue de Rome, Paysage de France);* **Salle VI,** dite du romantisme pittoresque: œuvres de Delacroix, Chassériau, Paul Huet *(L'inondation à Saint-Cloud);* **Salle VII,** donation Thomy-Thierry: œuvres de Delacroix, Corot, Théodore Rousseau, Charles Daubigny; **Salle VIII,** donation Chauchard: Millet *(L'Angélus);* **Salle IX,** consacrée aux grands peintres réalistes: Millet *(Les glaneuses),* Courbet *(La source),* Daumier *(Les émigrants);* **Salle X:** Puvis de Chavannes *(La toilette),* James Whistler *(Portrait de sa mère),* Gustave Moreau *(L'enlèvement d'Europe);* **Salle XI:** œuvres de Honthorst, van Goyen, S. Ruysdael; **Salle XII:** Watteau *(L'Indifférent),* Boucher, Fragonard, Chardin; **Salle XIII,** consacrée aux peintres anglais du XVIIIe et du XIXe: Reynolds, Gainsborough, Turner, Constable, Bonington, Lawrence.

MUSÉE DU LOUVRE — Vélasquez: **portrait de l'Infante Marguerite (détail).**

SCULPTURE DU MOYEN-AGE ET DE LA RENAISSANCE

Les salles qui abritent la sculpture se trouvent au rez-de-chaussée: on y arrive par le vestibule des Cabinets Sud (par un petit escalier) ou par l'extérieur en passant par la porte La Trémoille.

Salle I, sculpture romane des XIe et XIIe siècles; **Salles II à IV,** sculpture gothique du XIIe au XIVe siècle: sculptures provenant de Chartres, Bourges, Reims, *statue gisante de Marie de Bourbon;* **Salle V,** sculptures du XVe siècle: *tombeau de Philippe Pot* (attribué à Antoine le Moiturier) et *gisants d'Anne de Bourgogne et de Philippe de Morvillers;* **Salle VI,** sculptures du XVIe siècle: *tombeau de Louis de Poncher et de sa femme,* de G. Regnault et G. Chaleveau; **Salle VII,** consacrée aux sculpteurs français de la Renaissance: Germain Pilon *(Les Trois Grâces),* Jean Goujon *(La Déposition de Croix et 4 Evangélistes),* Pierre Bontemps *(Diane);* **Salles IX et X** consacrées à la sculpture française, allemande et flamande du XIIIe au XVIe siècle; **Salle XI:**

MUSÉE DU LOUVRE — Michel-Ange: **les deux Esclaves.**

Arc de Triomphe du Carrousel.

Michel-Ange (les *deux Esclaves,* exécutés pour le tombeau de Jules II), Jean Bologne *(Mercure)* et Benvenuto Cellini *(La Nymphe de Fontainebleau); ***Galerie basse,** sculptures italiennes du XIVe et du XVe siècles: œuvres de Nino Pisano, des Della Robbia, d'Agostino di Duccio, de Benedetto da Maiano *(Buste de Philippe Strozzi);* de Laurana, de Jacopo della Quercia *(Vierge à l'Enfant),* de Donatello, de Desiderio da Settignano; **Salles XII à XIV**: sculptures françaises des XVIIe et XVIIIe siècles: Puget, Coysevox, G. Coustou, Guillain.

PLACE DU CARROUSEL

Ce jardin occupe l'emplacement où s'élevait le palais des Tuileries, détruit par l'incendie de 1871. Le portail d'entrée est tout ce qui reste aujourd'hui du fastueux palais. On y a constitué en 1964-1965 une sorte de musée en plein air, rempli de sculptures parmi lesquelles il faut remarquer *La Nuit* ou *La Femme couchée* d'Aristide Maillol.

ARC DE TRIOMPHE DU CARROUSEL

Construit d'après un dessin de Pierre-François Fontaine et de Charles Percier entre 1806 et 1808, il est destiné à célébrer les victoires de Napoléon Ier en 1805. Il a repris l'organisation architectonique et la décoration plastique de l'Arc de Septime Sévère à Rome. Des colonnes de marbre rouge encadrent les trois arcades, et chacune de ses faces est richement ornée de bas-reliefs rappelant les victoires impériales. On plaça au sommet les quatre chevaux dorés que Napoléon avait fait enlever de la Basilique de Saint-Marc à Venise (où ils retournèrent en 1815). Les originaux furent alors remplacés par des copies, et on ajouta par la suite un quadrige avec la *statue de la Paix.*

SAINT-GERMAIN-L'AUXERROIS

Dite aussi « La Grande Paroisse », en tant que Chapelle Royale du Louvre au XIVe siècle; l'église actuelle s'élève sur le lieu d'un précédent sanctuaire d'époque mérovingienne. Sa construction dura du XIIe au XVIe siècle. Sa façade s'orne d'un grand porche de style gothique (1435-1439), aux cinq arcades différentes l'une de l'autre dont les piliers de division sont ornés de statues. En haut, la grande rose, surmontée d'un gâble, où s'adosse le clocher (XIe siècle).

Intérieur. Il est assez impressionnant: une grande nef et des doubles bas-côtés soutenus par des piliers, un transept et le chœur. L'église est remplie d'œuvres d'art. Le **banc d'œuvre** en bois sculpté par F. Mercier en 1682 est remarquable. La statue représentant *St Germain* est en bois polychrome, tandis que celle de *St Vincent* est en pierre; toutes deux sont du XVe siècle. Un *retable flamand* en bois sculpté montre des scènes de la vie de Jésus. Dans le transept, nous pouvons admirer les vitraux anciens de la fin du XVe siècle.

SAINT-GERMAIN-L'AUXERROIS — **La façade.**

PLACE DES PYRAMIDES — **Statue équestre de Jeanne d'Arc.**

RUE DE RIVOLI — Elle court, parallèle à la Seine, et de la Place de la Concorde va jusqu'à la Bastille. Elle doit son nom à la victoire que Napoléon remporta sur l'Autriche à Rivoli, en 1797. D'élégantes arcades courent sur le côté droit de la rue.

PLACE DES PYRAMIDES — Cette petite place se déploie en face du Pavillon de Marsan: au centre, la *statue équestre de Jeanne d'Arc* (Frémiet — 1874), but de pèl⋯ ·· le 12 mai de chaque année.

MUSÉE DES ARTS DÉCORATIFS — Entrée au n. 107 de la rue de Rivoli. Il possède environ 50.000 pièces témoignant de l'évolution du goût et de la forme dans la peinture, la sculpture, la décoration, etc.

Rez-de-chaussée. Il expose périodiquement des expositions temporaires importantes. Au **premier étage** se trouvent les collections de l'époque gothique et de la Renaissance, tapisseries, sculptures, céramiques, armes et instruments de musique.... Le **deuxième étage** est consacré aux collections de l'époque Louis XV et du Directoire: ici aussi, il y a une telle profusion d'objets que l'on peut effectuer une reconstitution exacte de la vie française de ces époques. Le **troisième étage** est réservé aux arts décoratifs d'autres pays d'Europe: Italie, Allemagne, Russie, Angleterre, etc. Également de l'Asie Mineure, de l'Inde, de la Chine, du Japon, de la Perse, etc.

LE PALAIS-ROYAL

Construit par Lemercier entre 1624 et 1645, ce palais était à l'origine la demeure privée du cardinal de Richelieu, qui en fit don à Louis XIII à sa mort (1642). Aujourd'hui siège du Conseil d'État. Il a une façade à colonnes, érigée en 1774 et une petite cour de laquelle, par une double colonnade, on passe dans le célèbre et magnifique jardin. Ce dernier fut créé par Louis en 1781 et s'étend sur 225 m. Il est entouré de trois ailes de robustes piliers: les galeries qui courent là abritent de curieuses boutiques de marchands d'objets

Le Palais-Royal.

anciens et de livres rares. Durant la Révolution, ce fut un cénacle de patriotes: ici, en effet, se réunissaient pour discuter les nobles antimonarchistes, et parmi eux le Duc d'Orléans (qui deviendra plus tard Philippe-Égalité).

LA BANQUE DE FRANCE — Elle se trouve à droite du Palais-Royal, son entrée est au n. 39 de la rue Croix-des-Petits-Champs. Ce fut la création de Bonaparte en janvier 1800. La Banque occupe une partie d'un édifice construit par Mansart en 1638: là se trouve la magnifique **Galerie Dorée**, œuvre de Robert de Cotte, avec des sculptures de Vassé, que le public ne peut visiter. A 27 m de profondeur se trouve le coffre-fort d'acier et de ciment armé dans lequel est enfermée la réserve monétaire de la Banque.

PLACE DES VICTOIRES — De forme circulaire, la place fut aménagée en 1685 pour servir de cadre à la statue allégorique de Louis XV, que le duc de la Feuillade avait commandée à Desjardins. La statue fut détruite durant la Révolution et remplacée par une autre (de Bosio), en 1822. Sur la place, créée sous la direction de Jules Hardouin-Mansart, vinrent habiter d'importants personnages: le duc de la Feuillade lui-même occupait les n. 2 et 4, et le financier Crozat demeura au n. 3.

NOTRE-DAME-DES-VICTOIRES — L'église appartenait à un couvent d'Augustins déchaussés: c'est Louis XIII qui posa la première pierre en 1629, mais elle ne fut terminée qu'en 1740. Depuis 1836 de grands pèlerinages à la Vierge s'y déroulent: on y voit, à l'intérieur, plus de 30.000 ex-voto.

Intérieur. Une seule nef, avec des chapelles larérales qui communiquent entre elles. Dans la chapelle de gauche se trouve le *cénotaphe* du musicien florentin Lulli, mort en 1687. Dans le chœur, boiseries du XVIIe siècle et sept toiles de Van Loo, avec des scènes de la vie de St Augustin et de Louis XIII qui dédia l'église à la Vierge.

LA BIBLIOTHÈQUE NATIONALE

Entrée principale au 58 de la rue de Richelieu (face au square Louvois, orné d'une belle fontaine de Visconti, exécutée en 1844). C'est une des bibliothèques les plus riches du monde: elle couvre une superficie de près de 16.500 m^2 et tous ses documents sont répartis en sept départements. Grâce aux acquisitions, au dépôt légal, aux donations, etc., la Bibliothèque possède aujourd'hui environ 7 millions de volumes (parmi lesquels deux éditions de la Bible de Gutenberg). Elle possède en outre 250.000 collections complètes de revues et journaux, 12 millions d'estampes (elle est la plus riche du monde), 900.000 œuvres de musique (entre partitions et manuscrits) et enfin, ce qui est considéré comme la section la plus précieuse, des manuscrits originaux de Victor Hugo et de Proust, et des manuscrits enluminés comme l'*Évangéliaire de Charlemagne,* la *Bible de Charles le Chauve,* le *Psautier de St Louis* et les *Riches Heures du duc de Berry.* A la « Nationale » se trouve aussi le **Cabinet des Médailles et des Antiques:** on y trouve des monnaies et des médailles de toutes les époques, les trésors de Saint-Denis et de la Sainte-Chapelle.

De l'entrée, on accède directement à la cour d'honneur, œuvre de Robert de Cotte (XVIIIe siècle). De là, à droite, on passe dans le vestibule, où sont exposés les plus beaux

La Place des Victoires.

livres du dépôt légal de la Nationale. De là, on passe aux divers départements. Au fond se trouve la **Galerie Mansart,** qui abrite souvent d'importantes expositions; en face se trouve le Salon d'Honneur, avec le plâtre original du buste de Voltaire que sculpta Houdon. Par un escalier monumental on monte au ler étage, où se trouve la somptueuse **Galerie Mazarine,** œuvre de Mansart, avec des peintures de G. F. Romanelli.

LA PLACE DU THÉÂTRE-FRANÇAIS – Cette belle place s'étend au débouché de l'avenue de l'Opéra. Ici se trouve le plus important théâtre français, la **Comédie Française,** instituée en 1680 par la fusion du groupe des comédiens de Molière avec ceux de l'Hôtel de Bourgogne. La compagnie fut dotée, en 1812, d'un statut spécial (le « décret de Moscou ») par Napoléon Ier. Le répertoire du « Français » va des auteurs classiques (d'abord Molière, puis Racine, Corneille, etc.) aux auteurs modernes français (Claudel,

Anouilh) et étrangers (Pirandello, Shakespeare, etc.). L'édifice fut construit par Louis en 1786-1790, on en doit la façade à Chabrol (1850). Dans le vestibule et dans le foyer, on peut admirer les statues des grands auteurs dramatiques: celles de Voltaire et de Molière (œuvre de Houdon), celle de Victor Hugo (de Dalou), celle de Dumas (de Carpeaux) et d'autres. On peut voir aussi le fauteuil dans lequel Molière s'effondra le 17 février 1673, en jouant le Malade Imaginaire.

LA RUE SAINT-HONORÉ – C'est une des plus anciennes rues de Paris (elle existait en effet déjà au XIIe siècle). Elle est remplie de souvenirs de la Révolution: le Club des Feuillants s'y trouvait, et à peu de distance, le Club des Jacobins, dirigé par Robespierre. En outre, cette rue était l'itinéraire des charrettes qui transportaient les condamnés à mort de la prison de la Conciergerie à la guillotine, place de la Concorde.

L'ÉGLISE SAINT-ROCH

Elle se trouve dans la rue Saint-Honoré et est très intéressante à cause des œuvres d'art qu'elle renferme. Elle fut commencée sous Louis XIV en 1653, et terminée un siècle plus tard; en 1736 Robert de Cotte exécuta la façade.

Intérieur. D'un style baroque somptueux, il comprend une nef et des bas-côtés avec des chapelles latérales, un transept et un chœur avec un déambulatoire à chapelles rayonnantes;

SAINT-ROCH – **La façade.**

derrière le chœur se trouve une vaste chapelle ronde, la **Chapelle de la Vierge,** avec une nef annulaire et une abside semi-circulaire (de Hardouin Mansart); derrière celle-ci se trouve une chapelle rectangulaire, dite **Chapelle du Calvaire.** Les chapelles de l'église renferment la dépouille mortelle de nombreux hommes illustres: Corneille, Diderot, Le Nôtre, etc.

BAS-CÔTÉ DROIT

Ière chapelle: *monument à Henri de Lorraine,* de Renard (XVIIe siècle) et *buste de François de Créqui,* de Coysevox. **IIe chapelle**: *monument funéraire de l'astronome Maupertuis* (d'Huez) et *statue du cardinal Dubois* (G. Coustou). **IIIe chapelle**: *tombeau du duc Charles de Créqui.*

BAS-CÔTÉ GAUCHE

Ière chapelle: *fresques de Chassériau* (XIXe siècle) relatives à St François-Xavier et à St Philippe. **IIe chapelle**: *le Baptème du Christ* de Lemoyne. **IIIe chapelle**: deux œuvres de Lemoyne, la *statue de sa fille* et un *buste de Mignard.* Toujours à gauche, un *buste de Le Nôtre* (de Coysevox). Au premier pilastre du déambulatoire et dans la **Ve chapelle,** le *monument à l'abbé de l'Épée.* Dans la **Chapelle de la Vierge,** avec sa coupole peinte par J.-B. Pierre illustrant le *Triomphe de la Vierge,* d'autres œuvres dignes de note: sur l'autel une *Nativité* des frères Anguier; au pilier de gauche, *Jésus ressuscitant le fils de la veuve de Naïm,* de Le Sueur (XVIIe siècle). Au premier pilier du bas-côté gauche se trouve aussi une plaque rappelant qu'en cette église Alessandro Manzoni retrouva la foi, le 2 avril 1810.

LA PLACE VENDÔME

Vaste ensemble architectural de l'époque de Louis XV, elle s'appelle ainsi parce que la maison du duc de Vendôme s'y trouvait. Elle fut créé entre 1687 et 1720 pour servir de cadre à une statue équestre de Louis XV par Girardon, détruite au cours de la Révolution. De forme octogonale, simple et sévère, elle est entourée d'édifices s'ouvrant en larges arcades au rez-de-chaussée et animés d'avant-corps à frontons couronnés, sur le toit, de nombreuses et caractéristiques lucarnes. De nos jours, au n. 15 s'élève le célèbre Hôtel Ritz, et au n. 12 la maison où mourut Chopin en 1849. Au centre se dresse la **Colonne** érigée par Gondouin et Lepère entre 1806 et 1810 en l'honneur de Napoléon Ier. Faite sur le modèle de la colonne de Trajan à Rome, elle a 43m, 50 de haut, et autour du fût on voit une série de bas-reliefs en spirale, fondus dans le bronze des 1200 canons pris à Austerlitz. Au sommet de la colonne, Chaudet érigea une statue de Napoléon Ier en César, détruite en 1814 et remplacée par celle d'Henri IV. On remit l'Empereur (1863), cette fois en Petit Caporal, mais huit ans plus tard, durant la Commune, la statue était de nouveau abattue. Elle fut replacée défi-

LA PLACE VENDÔME – **La colonne.**

nitivement trois ans après (copie de l'original de Chaudet).
De la place Vendôme nous suivons maintenant la **rue de la
Paix,** qui s'appelait avant rue Napoléon. De nos jours c'est
une des plus belles rues de la ville, bordée de célèbres magasins de luxe: au 13 se trouve la bijouterie Cartier. Arrivés au
bout, à droite nous trouvons l'**avenue de l'Opéra,** qui fut
inaugurée au temps du Second Empire.

L'OPÉRA

L'Opéra est le plus vaste théâtre lyrique du monde (11.000 m²
de superficie, 2000 spectateurs, 450 personnages en scène).
Construit d'après un projet de Garnier entre 1862 et 1875,
c'est le monument le plus typique de l'époque de Napoléon
III. Un large escalier mène au rez-de-chaussée de la façade:
de grandes arcades et de robustes pilastres, devant lesquels

L'Opéra.

se trouvent des groupes de marbre. Le plus beau est celui qui est adossé au pilastre de droite: la **Danse** de J.-B. Carpeaux. Le premier étage est constitué de hautes colonnes géminées encadrant de grandes fenêtres; au-dessus, un attique fastueusement décoré sur lequel s'appuie une coupole écrasée. L'intérieur est tout aussi luxueux: un grand escalier orné de marbres précieux, la voûte décorée de peintures d'Isidore Pils et le plafond de la salle avec des fresques de Marc Chagall (1966).

A l'Opéra commence le **boulevard des Capucines,** appelé ainsi parce que tout près s'élevait un couvent des sœurs Capucines. Au n. 28 se trouve l'**Olympia,** le fameux music-hall; au n. 14 une épigraphe rappelle que là, les frères Lumière projetèrent un film pour la première fois en public, le 28 décembre 1895. Devant le siège actuel du Ministère des Affaires Étrangères, en 1842 Stendhal s'effondra sur le trottoir frappé d'apoplexie. Au n. 24, le **Musée Cognacq-Jay.** L'édifice appartenait à E. Cognacq, fondateur des Magasins de la Samaritaine. Le musée comprend une collection de peintures, sculptures et objets d'art du XVIIIe siècle. On y voit rassemblées des peintures de Canaletto, Guardi, Gainsborough, Reynolds, Boucher, Chardin, Fragonard, Rubens, Rembrandt....

LA MADELEINE

Construite sur le modèle de la Maison Carrée à Nîmes, Napoléon Ier voulait en faire un temple en l'honneur de la Grande Armée. Il fit abattre une construction précédente jamais terminée et confia les travaux à l'architecte Vignon en 1806. En 1814 elle devint église et fut dédiée à Ste Marie-Made-

La Madeleine.

leine. Elle a la forme et les structures d'un classique temple grec: une large base, une volée de marches et une colonnade de 52 colonnes corinthiennes de 20 m de haut. Au fronton, une grande frise sculptée par Lemaire en 1834 représente le *Jugement Dernier*.

Intérieur. Une seule nef: dans le vestibule se trouvent deux groupes sculptés de Pradier et de Rude. Au-dessus du maître-autel, une œuvre de Marochetti *(Ste Madeleine enlevée au ciel)*.

Devant la Madeleine s'ouvre la belle perspective de la **Rue Royale,** qui se termine au fond par la masse symétrique du Palais-Bourbon. Percée en 1732, la rue Royale est courte mais très luxueuse: ici, en effet, se trouvent le restaurant Maxim's et le magasin de Christofle; au 6 vécut Madame de Stael. La rue Royale croise, environ à sa moitié, une autre artère importante: la **rue du Faubourg Saint-Honoré,** dont l'impératrice Eugénie, superstitieuse, avait fait supprimer le n. 13. Cette rue est devenue à peu près synonyme d'élégance et de mode: ici en effet, se trouvent les magasins de parfumerie, de bijouterie et de modes les plus célèbres du monde. Quelques noms: Saint-Laurent, Hermès, Cardin, Lancôme, Héléna Rubinstein, Lanvin....

LE PALAIS DE L'ÉLYSÉE

C'est la résidence du Président de la République. Il fut construit en 1718 par Mollet pour le gendre du financier Crozat, le comte d'Évreux. Devenu propriété publique durant la Révolution, il fut habité par Caroline Bonaparte, puis par l'im-

La rue Royale.

pératrice Joséphine. Le 22 juin 1815, Napoléon Ier y signa son abdication. Depuis 1873, l'Élysée est devenu la résidence officielle des divers présidents qu'a eu la République Française.

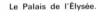

Le Palais de l'Élysée.

4ème itinéraire

DE LA PLACE DE LA CONCORDE *(Métro: lignes 1, 8, 12 — Station Concorde)* **AU PONT ALEXANDRE III.**

Place de la Concorde · Tuileries · Musée de l'Orangerie · Musée du Jeu de Paume · Champs-Élysées · Place Charles de Gaulle · Arc de Triomphe de l'Étoile · Grand-Palais · Petit-Palais · Pont Alexandre III.

LA PLACE DE LA CONCORDE

Aménagée d'après un dessin de Jacques-Ange Gabriel entre 1757 et 1779, elle fut à l'origine dédiée à Louis XV, dont une statue équestre s'élevait au centre de la place, œuvre de Pigalle et de Bouchardon, abattue pendant la Révolution. Sur son emplacement fut dressée la guillotine: on y fit mourir entre autres, le roi Louis XVI, la reine Marie-Antoinette, Danton, Madame Roland, Robespierre, Saint-Just. La place prit son aspect actuel entre 1836 et 1840, avec le réaménagement dû à l'architecte Hittorf. Au centre se dresse l'**obélisque égyptien** provenant du temple de Louqsor, offert en 1831 par Méhémet-Ali à Louis-Philippe et érigé là en 1836. Haut de 23 m, il est orné d'hiéroglyphes qui illustrent les entreprises du pharaon Ramsès II. Aux angles de la place se trouvent les 8 statues, symboles des principales villes de France. Sur le côté nord, des deux palais à colonnes (de Gabriel) l'un abrite aujourd'hui le **Ministère de la Marine** et l'autre est l'**Hôtel Crillon**.

La Place de la Concorde.

Place de la Concorde.

LES JARDINS DES TUILERIES

On y accède par une grille située sur la place, contre les piliers de laquelle sont adossées les deux **statues équestres de Mercure** (à droite) et **de la Renommée** (à gauche), véritables chefs-d'œuvre de Coysevox. Le jardin s'étend sur près d'un kilomètre entre la place du Carrousel et la place de la Concorde et sur 325 m environ entre les berges de la Seine et la rue de Rivoli. En 1563, Catherine de Médicis, qui avait confié à Philibert Delorme le soin de construire une résidence à côté du Louvre, fit l'acquisition de nouveaux terrains dans les Tuileries, leur donnant toutefois l'aspect du jardin à l'italienne. En 1664, Colbert confia les travaux d'embellissement des jardins à Le Nôtre, et ceux-ci prirent l'aspect qu'ils ont maintenant. Les grands côtés sont ornés de hautes terrasses avec des arbres, tandis que la zone du centre est divisée en parterres géométriques (avec des statues de Coysevox, de Coustou, de Pradier et de Le Poultre), auxquels font suite de vastes zones plantées de tilleuls et de marronniers avec des bassins entourés de statues. De là, par deux rampes, on monte aux terrasses de l'Orangerie (à droite) et du Jeu de Paume.

MUSÉE DE L'ORANGERIE

Dans deux des salles de ce musée sont conservées les splendides toiles des *Nymphéas,* que Monet peignit à Giverny de 1883 à 1926. Les autres salles abritent des expositions temporaires.

MUSÉE DU JEU DE PAUME — Pissarro: **Les toits rouges.**

MUSÉE DU JEU DE PAUME — Gauguin: **Femmes de Tahiti.**

MUSÉE DU JEU DE PAUME

Le Musée du Jeu de Paume, Musée de l'Impressionnisme français, doit son nom à Napoléon III, qui destina la terrasse des Feuillants aux Tuileries au jeu de paume. Lorsque ce jeu fut détrôné par le tennis et tomba en désuétude, le Jeu de Paume (le nom lui resta) fut destiné à des expositions de peinture. La première eut lieu en 1909; en 1924 Léonce Bénédite eut l'idée d'y transporter les collections de peinture moderne étrangère du Musée du Luxembourg. Enfin, en 1947, René Huyghe (conservateur du Département de peinture), le destina exclusivement aux collections impressionnistes. Nous vous signalons les œuvres les plus représentatives de chaque salle.

REZ-DE-CHAUSSÉE

Vestibule: Toulouse-Lautrec *(La Goulue): salle* **Degas:** Degas *(Aux courses, L'absinthe, La famille Belleli, La femme à la potiche);* **Salle Camondo:** Degas *(Les repasseuses, Classe de danse, Danseuse au bouquet, Le foyer de la danse à l'Opéra);* **Salle Fantin-Latour:** Fantin-Latour *(L'atelier des Batignolles, Hommage à Delacroix);* **Salle d'Argenteuil:** Sisley *(L'île Saint-Denis, La passerelle à Argenteuil),* Monet *(Le déjeuner d'Argenteuil),* Renoir *(Vue d'Argenteuil);* **Salle Moreau-Nélaton:** Manet *(Le déjeuner sur l'herbe,* chef-d'œuvre exécuté en 1863, *La blonde aux seins nus),* Pissarro *(Le lavoir de Pontoise);* Sisley *(Bateaux à l'écluse de Bougival);* **Salle Manet:** Manet *(Olympia,* merveilleuse toile exécutée en 1863, *Le Fifre,* de 1866, *Lola de Valence);* **Salle Bazille:** Bazille *(Réunion de famille).*

MUSÉE DU JEU DE PAUME – Van Gogh: **L'église d'Auvers.**

1er *ÉTAGE*

Salle Cézanne: Cézanne *(La maison du pendu,* de 1873, *Les Joueurs de cartes,* de 1885-1890); **Salle Pélerin**: Cézanne *(Pommes rouges et oranges, Baigneurs);* **Salle Monet**: Monet *(série des cathédrales de Rouen),* Sisley *(L'inondation à Port-Marly),* Pissarro *(Les toits rouges,* de 1877); **Salle Caillebotte**: Renoir *(Le Moulin de la Galette,* de 1876, *La fillette au chapeau de paille, La liseuse);* **Salle Anthonin-Personnaz**: Pissarro *(Paysage à Chaponval),* Monet *(Le pont d'Argenteuil);* **Salle Gachet**: Van Gogh *(L'église d'Auvers, Autoportrait, Portrait du Docteur Gachet,* tous de 1890); **Salle Gauguin**: H. Rousseau *(La guerre, La charmeuse de serpents),* Gauguin *(Femmes de Tahiti,* de 1891, *Le cheval blanc, Arearea),* Seurat *(Le cirque,* de 1891); **Petite salle Toulouse-Lautrec**: Toulouse-Lautrec *(La clownesse Cha-U-Kao).*

Les Champs-Élysées.

LES CHAMPS-ÉLYSÉES

A l'origine, cette vaste zone était marécageuse: après qu'elle eut été bonifiée, en 1667 Le Nôtre y créa une large avenue appelée d'abord le Grand-Cours (il prit son nom actuel en 1709): depuis les Tuileries il allait jusqu'à l'Étoile, devenue aujourd'hui place Charles de Gaulle. Au début de l'avenue nous trouvons les célèbres **Chevaux de Marly,** de Guillaume Coustou. De là au Rond-Point des Champs-Élysées,

Les Champs-Élysées.

l'avenue est bordée par un vaste parc-promenade. En avançant, on trouve à droite le **Théâtre des Ambassadeurs-Espace Pierre Cardin**, à gauche le **restaurant Ledoyen** datant de l'époque de Louis XVI. **Place Georges-Clémenceau** nous trouvons la *statue* en bronze du célèbre homme politique qui mena la France à la victoire en 1918. De là se déploie la splendide perspective de l'**Avenue Churchill** avec le pont Alexandre III et les Invalides au fond. Le long de l'avenue Churchill se trouvent le **Grand-Palais** et le **Petit-Palais**, tous deux de proportions grandioses, caractérisés par de hautes colonnades, des frises et des groupes de sculptures, réalisés à l'occasion de l'Exposition Universelle qui eut lieu à Paris en 1900.

Le **ROND-POINT des Champs-Élysées** — Il se déploie au bout de la zone de parc-promenade des Champs-Élysées: c'est un important carrefour de 140 m de diamètre, dessiné par Le Nôtre. A droite se trouve le siège du journal Le Figaro, à gauche celui de Jours de France. La grande artère (deux trottoirs de 22 m chacun et une chaussée de 27) part de là; de chaque côté se succèdent les bureaux de compagnies aériennes, de banques, les stands d'exposition d'automobiles. Trois belles galeries couvertes la **Galerie Élysées-La Boétie** au n. 54, la **Galerie des Arcades** (plus connue sous le nom de Passage du Lido ou Arcades du Lido) au n. 76-78, et la **Galerie Point-Show** au n. 66.

PLACE CHARLES DE GAULLE

Autrefois Place de l'Étoile, elle se déploie en haut des Champs-Élysées. C'est une vaste rotonde de 120 m de diamètre, plantée d'arbres, d'où partent, comme des rayons, douze artères (Avenue des Champs-Élysées, Avenue de Friedland, Avenue Hoche, Avenue de Wagram, Avenue Mac-Mahon, Avenue Carnot, Avenue de la Grande-Armée, Avenue Foch, Avenue Victor-Hugo, Avenue Kléber, Avenue d'Iéna et Avenue Marceau).

L'Arc de Triomphe de l'Étoile.

L'Arc de Triomphe de l'Étoile.

L'ARC DE TRIOMPHE

Il se dresse, seul, au centre de la place, avec sa masse majestueuse. Napoléon Ier voulut le faire ériger en hommage à la Grande Armée et Chalgrin en commença la construction en 1806. Terminé en 1836 il a une seule arche et est plus haut que l'Arc de Constantin à Rome: il a en effet 50 m de haut et 45 de large. Ses faces sont ornées de bas-reliefs: le plus connu et le plus beau est celui de droite, sur le côté regardant vers les Champs-Élysées, qui représente le départ des volontaires de 1792 et est connu sous le nom de **La Marseillaise** (F. Rude). Les bas-reliefs du haut célèbrent les victoires napoléoniennes, tandis que les cartouches sculptés à l'attique portent gravés les noms des grandes batailles. En 1920, on plaça sous l'Arc le tombeau du Soldat Inconnu, dont la flamme permanente est ravivée chaque soir. Dans un petit musée situé à l'intérieur de l'Arc même, on peut trouver une histoire du monument.

Le Grand-Palais.

LE GRAND-PALAIS

Il fut construit par Daglane et Louvet: sa façade à colonnes ioniques a 240 m de large et 20 m de haut. Il s'y tient maintenant des expositions d'art et de peinture très importantes. Une partie de l'édifice est occupée par le **Palais de la Découverte,** où sont présentées les dernières conquêtes de la science et les grandes étapes du progrès.

LE PETIT-PALAIS

C'est le siège du Musée du Petit-Palais, vaste collection d'art ancien et moderne. On y voit des peintures d'artistes français du XIXe et du XXe siècles (de Géricault à Delacroix, d'Ingres à Courbet, de Redon à Bonnard) qui font partie des **Collections de la Ville de Paris. Les collections Tuck et Dutuit,** par contre, comprennent non seulement divers objets de l'antiquité grecque, romaine, étrusque et égyptienne (émaux, porcelaines, etc.) mais aussi des dessins et des peintures d'époques et de lieux divers (Dürer, Cranach, Van de Velde, Watteau, Pollaiolo, Guardi, etc.).

LE PONT ALEXANDRE III

Il se trouve au bout de l'avenue Churchill. Il comporte une seule arche métallique, longue de 107 m, large de 40, et relie l'esplanade des Invalides aux Champs-Élysées. Il fut construit pour célébrer l'alliance franco-russe entre 1896 et 1900 et porte le nom du tsar Alexandre III dont le fils Nicolas II avait inauguré le pont. Sur deux des piles de la rive droite sont figurées la France médiévale et la France moderne, tandis que sur celles de la rive gauche se trouvent les statues représentant la France de la Renaissance et celle de Louis XIV. Les pylones d'entrée du pont portent des allégories de la Seine et de la Néva, symbolisant la France et la Russie. Le pont entier est fastueusement décoré d'allégories de génies marins, de guirlandes de fleurs et de réverbères surmontés de « putti ».

Le Pont Alexandre III.

5ème itinéraire

DU MUSÉE GUIMET *(Métro: ligne 9 – Station Iéna)* **AU MUSÉE RODIN.**

Musée Guimet * Musée Galliéra * Palais d'Art Moderne * **Musée National d'Art Moderne** * Musée du Costume * Musée d'Art Moderne de la Ville de Paris * Place du Trocadéro * Cimetière de Passy * Musée Clémenceau * Maison de la Radio et de la Télévision * **Palais de Chaillot** * **Tour Eiffel** * **Champ de Mars** * **École Militaire** * Maison de l'Unesco * **Invalides** * Musée Rodin.

Nous nous dirigeons maintenant vers le quartier de Chaillot, en suivant l'avenue d'Iéna, pour rejoindre la place qui porte le même nom. Au milieu, une **statue équestre de George Washington,** don des femmes américaines. Le grand palais moderne avec une rotonde qui se trouve à l'angle de la place est le siège du Conseil Économique et Social (Perret, 1938).

MUSÉE GUIMET – Entrée au n. 6. Fondé par le collectionneur lyonnais Guimet, il offre une vision complète de l'art oriental et extrême-oriental. On y voit rasemblées des œuvres d'art de l'Inde (parmi lesquelles la **Danse cosmique de Siva**), du Cambodge (collections d'art Khmer), du Népal, du Thibet (**Dakini dansante** en bronze doré), de l'Afghanistan, du Pakistan, de la Chine et du Japon, etc.

MUSÉE GALLIÉRA – Il se trouve tout près d'ici, l'entrée est au n. 10, avenue Pierre Ier de Serbie. C'est la duchesse de Galliéra qui fit construire l'édifice, de style Renaissance, afin d'y abriter ses propres collections d'art. Elles passèrent ensuite par donation à la ville de Genève, tandis que l'édifice faisait l'objet d'un don à la Ville de Paris. Le musée abrite des expositions artistiques temporaires.

PALAIS D'ART MODERNE – Situé entre l'avenue Wilson et l'avenue de New York, il fut construit pour l'Exposition de 1937. Il est constitué de deux corps de bâtiment séparés, réunis en haut par un portique. Entre les deux ailes, un bassin entouré de bas-reliefs et des statues. Trois grandes statues en bronze, de Bourdelle, représentent la **France,** la **Force** et la **Victoire.** L'aile occidentale du palais est occupée par le Musée d'Art Moderne, dont l'entrée est au n. 113 de l'avenue du Président Wilson.

MUSÉE NATIONAL D'ART MODERNE

Ancien Musée du Luxembourg, dont la superficie a par la suite été doublée, il offre un vaste panorama de la peinture française, du post-impressionnisme à aujourd'hui, et l'on peut dire qu'il est la continuation logique du Musée du Jeu de Paume. Y sont en effet présents les artistes les plus représentatifs des différents courants de l'art moderne: au rez-de-chaussée, le groupe de Pont-Aven (Sérusier, Maurice Denis, Émile Bernard), les Nabis (Bonnard, Vuillard, Vallotton), le groupe des Fauves (Matisse, Vlaminck, Dufy, Derain), les Cubistes (Picasso, Braque, Gris et Léger). Au premier étage Chagall et les Dadaïstes (Arp, Picabia, Tzara), les Surréalistes (Dali, Ernst, Klee), les Expressionnistes (Soutine, Modigliani) et les Abstraits (Kandinsky, Manessier). Le musée abrite également d'importantes œuvres de sculpture moderne: Arp, Brancusi, Moore, Calder et Pevsner ne sont que quelques noms parmi tant d'autres.

Dans l'aile orientale du Palais d'Art Moderne, se trouvent le Musée du Costume et le Musée d'Art Moderne de la Ville de Paris.

MUSÉE D'ART MODERNE DE LA VILLE DE PARIS — Avec les collections de peinture de ce musée, on a voulu rappeler l'importance qu'a eu l'École de Paris dans l'histoire de la peinture du XXe siècle. On y voit des peintures de Modigliani, Rouault, Utrillo, Picasso, Dufy, Vlaminck, Derain, etc., et des sculptures de Zadkin, Maillol, etc. Ici est également exposé le plus grand tableau du monde: la *Fée Électricité,* de Dufy, de 600 m².

D'ici, on rejoint la **Place du Trocadéro,** dont le nom vient de la forteresse espagnole que les Français conquirent en 1823. Au centre se trouve la statue du maréchal Foch (1951, R. Wlérick et R. Martin). Au coin de l'avenue Georges-Mandel se trouve le mur de soutien du **Cimetière de Passy.** Ici se trouvent les tombes de personnalités importantes: les peintres Manet et Berthe Morisot, les écrivains Giraudoux et Tristan Bernard, les musiciens Debussy et Fauré. Également Las Cases, qui fut le compagnon de Napoléon durant l'exil à Ste-Hélène.

A côté s'étend le quartier de Passy, auquel ses excellentes eaux ferrugineuses avaient valu une certaine notoriété. Dans la rue Franklin, au n. 8 se trouve le **Musée Clémenceau,** aménagé dans l'ancien appartement du grand homme d'État (appelé le « Tigre »), resté tel qu'au jour de sa mort (1929) et où sont rassemblés documents et souvenirs de sa longue carrière de journaliste et d'homme politique. Au n. 47 de la rue Raynouard, la maison qu'habita Balzac de 1840 à 1847, maintenant transformée en musée, avec des souvenirs du grand écrivain. Enfin, en continuant encore dans cette rue jusqu'à la place du Docteur-Hayem, nous trouvons la **Maison de Radio-France** (Maison de Radiodiffusion et de Télévision Françaises) construite entre 1959 et 1964 par H. Bernard avec une tour de 70 m, 1000 bureaux, 62 studios et 5 auditoriums.

PALAIS DE CHAILLOT

Avec les jardins du Trocadéro, les Champs-Élysées et la Tour Eiffel, il constitue un bel exemple de l'architecture du début du XXe siècle. C'est à l'occasion de l'Exposition qui eut lieu à Paris en 1937 qu'il fut construit. Les architectes furent Boileau, Azéma et Carlu, qui firent le projet de l'édifice actuel sur l'emplacement du précédent édifice, le Trocadéro. De ce dernier, que Napoléon avait voulu faire construire pour son fils le Roi de Rome, il ne reste que les projets de Percier et de Fontaine. Le palais est formé de deux énormes pavillons qui se prolongent en deux ailes, réunis par un parvis central avec des statues de bronze doré. De là, un magnifique ensemble de terrasses, d'escaliers, de jardins égayés et embellis de jets d'eau et de fontaines descend par degrés vers la Seine. Les deux pavillons, au fronton desquels sont gravés des vers du poète Valéry, abritent aujourd'hui le Musée de la Marine, le Musée de l'Homme et le Musée des Monuments Français.

MUSÉE DE LA MARINE — C'est un des plus riches du monde dans son genre. On y trouve rassemblés des modèles de bateaux, des pièces curieuses, des souvenirs et des œuvres d'art se rapportant à la mer. On y voit la maquette de la Santa Maria de Christophe Colomb, et celle de **la Belle Poule** qui ramena de Ste-Hélène les cendres de Napoléon.

MUSÉE DE L'HOMME — Il rassemble de très importantes collections d'anthropologie et d'ethnologie, illustrant les diverses races humaines et leurs modes de vie. Dans le département de paléontologie on peut voir des pièces préhistoriques célèbres: la **Vénus de Lespugne,** en ivoire de mammouth, le moulage de la **Vénus hottentote** et des **fresques du Hoggar.** Les collections du continent américain sont particulièrement riches: art précolombien, maya, aztèque, toltèque, etc. En provenance de l'Asie, des pièces sibériennes, mongoles, chinoises, thibétaines, indochinoises, et des témoignages de la civilisation de la Polynésie, de l'île de Pâques, de Java et de la Malaisie.

MUSÉE DES MONUMENTS FRANÇAIS — Né en 1880 d'une idée de Viollet-le-Duc, il offre un vaste panorama artistique de la période carolingienne à nos jours. Les œuvres sont groupées par régions, par écoles et par époques, de façon à permettre au visiteur d'étudier l'évolution, les caractéristiques et les influences de chaque style. Dans la section sculpture se trouvent des œuvres romanes, gothiques (statuaire provenant des cathédrales de Chartres, Amiens, Notre-Dame de Paris et Reims), de la Renaissance (œuvres de Jean Goujon et de Germain Pilon) et modernes (Rude, Pigalle, Houdon).

Toujours dans les murs du Palais de Chaillot, se trouve le **Théâtre de Chaillot,** situé sous la terrasse, disposant de 3000 places. En 1948 et en 1951-1952, il abrita respectivement la IIIème et la IVème session de l'Assemblée Générale de l'O.N.U.

Dans une grotte du jardin a été aménagé l'**Aquarium** où l'on peut observer la vie de la plupart des poissons d'eau douce de la France entière. Les jardins descendent graduellement jusqu'à la Seine, qu'enjambe le **pont d'Iéna** (1813). Décoré à chaque extrémité de quatre groupes équestres, il relie la place de Varsovie à l'autre rive, que domine la Tour Eiffel.

LA TOUR EIFFEL

Devenue désormais le symbole de Paris, elle fut érigée à l'occasion de l'Exposition Universelle de 1889. Chef-d'œuvre de l'ingénieur Gustave Eiffel, elle mesure au total 320 m de haut, en un entrelacs extrêmement léger de 15.000 pièces métalliques soudées ensemble. Son poids s'appuie sur quatre énormes piliers avec des bases en ciment. Elle est divisée

La Tour Eiffel.

La base de la Tour Eiffel.

Une vision étonnante du bas de la Tour Eiffel.

La Tour Eiffel vue du Palais de Chaillot.

en trois étages: le premier à 57 m, le second à 115 m et le troisième à 274 m. Sur les deux premières plates-formes, restaurants et bars offrent au touriste la possibilité de stationner et de jouir d'une vue et d'un paysage uniques. Parfois, dans les journées de parfaite visibilité, le regard peut s'étendre jusqu'à 70 kilomètres.

LE CHAMP-DE-MARS

Ce vert tapis qui s'étend sous la Tour Eiffel était à l'origine un champ de manœuvres qui fut par la suite transformé en jardins. Sous l'Ancien Régime et la Révolution, de nombreuses fêtes s'y déroulaient: celle, célèbre, de l'Être Suprême, introduite par Robespierre, y eut lieu le 8 juin 1794. A l'époque moderne, l'aire fut le siège de nombreuses Expositions Universelles. De nos jours le jardin, qui fut aménagé par Formigé de 1908 à 1928, est entrecoupé de larges allées, orné de petits lacs, de petits cours d'eau et de parterres de fleurs.

L'ÉCOLE MILITAIRE

Elle limite au sud la belle perspective du Champ-de-Mars. Édifiée sur l'initiative du financier Pâris-Duvernay et de Madame de Pompadour, désireux d'ouvrir la carrière militaire également aux jeunes gens les plus pauvres, elle fut construite entre 1751 et 1773 par l'architecte Jacques-Ange Gabriel. La façade, avec les suites de fenêtres de ses deux étages, est animée au centre par un pavillon à colonnes, lesquelles soutiennent un fronton décoré de statues et coiffé d'une coupole. La **Cour d'Honneur**, très élégante, a un portique à colonnes doriques géminées et sa façade est formée de trois pavillons reliés par deux ailes de colonnades. En cet édifice, de nos jours encore affecté à la fonction d'école militaire, fut élève en 1784 Napoléon Bonaparte, qui en sortit l'année suivante avec le grade de sous-lieutenant d'artillerie en second.

MAISON DE L'U.N.E.S.C.O. — Elle se trouve derrière l'École Militaire et fut construite entre 1955 et 1958 par trois grands architectes modernes: l'Américain Breuer, l'Italien Nervi et le Français Zehrfuss. Ils firent le projet d'un édifice en forme d'Y, à grandes baies vitrées et à façades courbes. De grands artistes collaborèrent à la décoration et à l'embellissement de ce vaste ensemble: d'Henry Moore à Calder, de Miro à Jean Arp, de Picasso à Le Corbusier.

LES INVALIDES

Ce vaste ensemble d'édifices, comprenant l'Hôtel des Invalides, le Dôme et l'église St-Louis, s'étend entre la place Vauban et l'Esplanade des Invalides.
C'est Louis XIV qui décida de l'entière construction, et elle fut confiée à Libéral Bruant en 1671: elle était destinée à donner asile aux vieux invalides, souvent réduits à la mendicité. L'immense place de l'Esplanade (1704-1720) a 487 m

Le Champ-de-Mars: au fond, l'École Militaire.

de long et 250 de large et représente le décor rêvé pour l'**Hôtel**. Dans l'avant-cour qui précède ce dernier, sont alignés des canons de bronze du XVIIe et du XVIIIe siècles, les dix-huit pièces de la « batterie triomphale » qui ne tonnent qu'à l'occasion d'événements importants. De chaque côté de l'entrée, deux chars blindés allemands capturés en 1944. La façade, de 196 m de long, comporte quatre files de fenêtres et un majestueux portail au centre, surmonté d'un bas-relief représentant *Louis XIV,* encadré par la *Justice* et la *Prudence.* Dans la cour d'honneur, les quatre côtés sont composés de deux étages de galeries, de telle sorte que le pavillon du fond devient la façade de l'église St-Louis. Au centre, la *statue* de Seurre représentant Napoléon (autrefois au sommet de la colonne Vendôme). L'**église St-Louis-des-Invalides,** dont le projet est dû à Hardouin-Mansart, a trois nefs. De nombreux drapeaux pendent du haut des parois. Au fond du bas-côté droit, dans une chapelle (dite **Chapelle Napoléon**), se trouve le char qui servit, à Sainte-Hélène, au transport de la dépouille mortelle de l'Empereur vers son tombeau, et le sarcophage dans lequel son corps fut ramené en France en 1840. Dans la crypte est enseveli aussi Rouget de Lisle, l'auteur de la Marseillaise. Dans les souterrains de l'église (fermés au public), se trouvent les tombeaux de nombreux maréchaux de France (Jourdan, Oudinot, Mac Mahon, Canrobert).

MUSÉE DE L'ARMÉE – C'est dans un des édifices qui encadrent la Cour d'honneur que se trouve ce musée, qui représente la plus riche collection militaire du monde. On y trouve rassemblés non seulement des armes et des armures du XIVe siècle à nos jours (parmi lesquelles, dans la salle Rufin, la fameuse *armure aux lions de François Ier*), mais aussi des souvenirs et des reliques historiques de grande importance et de grande valeur. Dans les différentes vitrines, les hampes des drapeaux brûlés après la chute de Napoléon, le drapeau des Adieux de l'Empereur à Fontainebleau, le boulet de canon qui tua Turenne, la jambe de bois du général Daumesnil. De cette émouvante collection, on peut passer au **Musée des Plans-Reliefs,** où sont réunis les plans et maquettes des villes, ports et places fortes de France et d'Europe.

DÔME DES INVALIDES

Avec son entrée place Vauban, voici enfin le chef-d'œuvre de Hardouin-Mansart, qui l'édifia entre 1679 et 1706, à plan carré et composé de deux ordres superposés. La façade est un chef-d'œuvre d'élégance et de symétrie: deux ordres de colonnes couronnées d'un fronton, au-dessus duquel est solidement posé le tambour à colonnes jumelées. De là, par une sobre transition de grandes consoles, s'élance la coupole décorée de guirlandes et de motifs floraux. La calotte, avec ses ors, se termine par un lanternon à flèche, dont la pointe est à 107 m du sol.

Intérieur. En forme de croix grecque, il est aussi simple que l'extérieur. Aux pendentifs de la coupole sont peints les *quatre Évangélistes,* et dans la calotte est représenté *St Louis remettant son épée à Jésus-Christ.* Ici se trouvent les tombeaux

Le Dôme des Invalides.

de plusieurs membres de la famille Bonaparte et d'autres grands personnages. Dans la chapelle de droite, le *tombeau de Joseph Bonaparte,* ceux des maréchaux Foch et Vauban; dans la première chapelle à gauche, le sépulcre de l'autre frère de Napoléon, Jérôme, auquel font suite les tombeaux de Turenne et de Lyautey.

Le Tombeau de Napoléon Ier.

TOMBEAU DE NAPOLÉON — Il se trouve exactement sous la coupole. L'Empereur, mort à Ste-Hélène le 5 mai 1821, ne fut ramené à Paris qu'en 1840, et son corps fut transporté ici le 15 décembre avec un cérémonial sans pareil. La dépouille mortelle est enfermée en six cercueils: le premier en fer blanc, le second en acajou, le troisième et le quatrième en plomb, le cinquième en bois d'ébène et le sixième en chêne. Ils furent placés ensuite dans le grand sarcophage de porphyre rouge, dans la crypte aménagée par Visconti. Là, 12 *Victoires* de Pradier veillent l'Empereur. Auprès de lui, la tombe de son fils, « l'Aiglon », mort à Vienne en 1832.

MUSÉE RODIN — L'entrée se trouve au n. 77 de la rue de Varenne. Il est installé dans l'**Hôtel Biron**, un édifice construit en 1728-1731 par Gabriel et Aubert, appartenant au maréchal de Biron. En 1820 il fut transformé en couvent des soeurs du Sacré-Cœur, qui y éduquaient les jeunes filles de grandes familles. De cette époque date l'église néo-gothique qui se trouve dans le jardin, qu'avait fait construire la supérieure Sophie Barat. En 1904, l'édifice fut loué au Lycée Victor-Duruy, jusqu'au moment où il fut mis à la disposition d'Auguste Rodin qui, à sa mort, fit don de ses œuvres à l'État. Le musée est un magnifique témoignage de l'œuvre du grand sculpteur. Environ 500 sculptures y sont rassemblées, en bronze ou en marbre blanc. Parmi elles, rappelons les *Bourgeois de Calais*, le *Penseur* et la *statue de Balzac* dans la cour d'honneur, le *groupe du comte Ugolino* dans le jardin, le *Baiser* et *St Jean-Baptiste* dans la grande salle du rez-de-chaussée.

DU PALAIS-BOURBON *(Métro: ligne 12 – Station Chambre des Députés)* **À MONTPARNASSE.**

Palais-Bourbon • Palais de la Légion d'Honneur • **Institut de France** • La Monnaie • Place St-Germain-des-Prés • **St-Germain-des-Prés** • **St-Sulpice** • Les Carmes • **Luxembourg** • Petit-Luxembourg • Avenue de l'Observatoire • Observatoire • Catacombes • **Montparnasse** • Cimetière • Musée Bourdelle • Institut Pasteur.

Faubourg Saint-Germain – Ce quartier de la « rive gauche », né de l'extension d'un village qui s'était formé autour de l'église de St-Germain-des-Prés, est un peu le quartier noble de Paris: ici, en effet, de riches bourgeois, des financiers, des aristocrates venus du Marais, construisirent d'élégantes demeures, avec des cours d'honneur et de vastes jardins. Toutes ces somptueuses habitations sont devenues, avec le temps sièges d'Ambassades ou de Ministères. En fait, le déclin du quartier commença avec Louis-Philippe et Napoléon III, lorsque les Champs-Élysées supplantèrent définitivement Saint-Germain.

PALAIS-BOURBON

Il se trouve devant le pont de la Concorde (1790), il est symétrique à la Madeleine. Aujourd'hui, il est le siège de l'Assemblée Nationale. Il porte la signature de quatre architectes: Giardini qui le commença en 1722, Lassurance qui continua les travaux, Aubert et Gabriel qui le terminèrent en 1728. A l'origine il fut construit pour une fille de Louis XIV, la duchesse de Bourbon, qui donna son nom au palais. Propriété du prince de Condé à partir de 1764, il fut agrandi et parvint à son aspect actuel. De 1803 à 1807, Napoléon fit construire la façade par Poyet. Au portique, un *fronton allégorique* (Cortot, 1842). Les autres bas-reliefs allégoriques des ailes sont de Rude et de Pradier.

Intérieur. Riche en œuvres d'art. Entre 1838 et 1845, Delacroix décora la **Bibliothèque,** l'illustrant par l'*Histoire de la Civilisation.* Dans la Bibliothèque toujours, Houdon sculpta les bustes de Diderot et de Voltaire.

Nous parcourons maintenant la caractéristique rue de Lille. Elle a gardé, comme la rue de Varenne, la rue de Grenelle et la rue de l'Université, l'ancien esprit du Faubourg Saint-Germain.

PALAIS DE LA LÉGION D'HONNEUR — Se trouve rue de Lille, au n. 64. Construit par l'architecte Rousseau en 1787 pour le prince de Salm et brûlé durant la Commune, il fut reconstruit par la suite dans sa forme originelle en 1878. Depuis 1804, il est le siège de la Légion d'Honneur (instituée par Napoléon en 1802), a un majestueux portail et une cour entourée d'une colonnade. Le palais abrite le **Musée de la Légion d'Honneur,** riche de reliques et de documents relatifs à l'ordre honorifique créé par Napoléon ainsi qu'à d'autres ordres européens.
A côté du palais, la **Gare d'Orsay,** de 1900, aujourd'hui presque entièrement désaffectée. Là où se trouvait autrefois le hall de la gare s'est installé le chapiteau du Théâtre d'Orsay (Compagnie Renaud-Barrault). En continuant le long des quais, nous arrivons, en face de Louvre, au **Pont des Arts,** le premier pont métallique de la ville, ouvert seulement aux piétons.

INSTITUT DE FRANCE

Il fut élevé en 1665, à la suite d'un legs testamentaire de Mazarin, qui en 1661, trois jours avant de mourir, laissa deux millions de francs pour la construction d'un collège pouvant recevoir 60 élèves et appelé Collège des Quatre Nations. En 1806, Napoléon y fit transférer l'Institut de France, qui s'était constitué en 1795 par la fusion de cinq académies: l'Académie de France, celle des Sciences, celle des Belles-Lettres, l'Académie des Beaux-Arts et celle des Sciences Morales et Politiques. C'est l'architecte Le Vau qui dessina le projet de l'édifice, prenant pour modèles les édifices de la Rome baroque. Il se compose d'un corps central avec une façade dont les colonnes soutiennent un fronton et est surmonté d'une belle coupole (au tambour sont sculptées les armes de Mazarin). Ce corps est réuni aux pavillons latéraux par deux ailes courbes, avec une double file de colonnes. En entrant dans la cour, nous trouvons à gauche la **Bibliothèque Mazarine,** et à droite la **Salle des Séances solennelles.** Ici, sous la coupole (à l'origine se trouvait là la Chapelle du Collège), se déroule la cérémonie solennelle de la présentation des nouveaux membres de l'Académie Française. La salle est précédée d'un vestibule où se trouve le *tombeau de Mazarin* (Coysevox - 1689).

LA MONNAIE — Elle se trouve au n. 11 du quai de Conti, juste à côté de l'Institut. Le majestueux édifice où se trouve le siège de la Monnaie fut construit entre 1771 et 1777 par l'architecte Antoine. Avec une grande simplicité de lignes, la façade présente les files de fenêtres de ses trois étages et un avant-corps central à colonnes. A l'intérieur, on monte par un monumental escalier au **Musée de la Monnaie,** où sont rassemblées monnaies et médailles anciennes et modernes.

L'Institut de France.

LA PLACE SAINT-GERMAIN-DES-PRÉS — Pénétrant maintenant dans les petites rues caractéristiques du quartier, plein d'antiquaires et de boutiques d'objets d'art, nous rejoignons cette place, cœur du vieux Paris et lieu de rendez-vous des intellectuels de la « rive gauche ». Dans les petites rues

La Place Saint-Germain-des-Prés.

alentour, les « caves » où naquit le mouvement existentialiste. Deux des cafés de la place, le *café de Flore* et le *café des Deux-Magots,* virent la naissance du mouvement, tandis qu'à la *Brasserie Lipp* se retrouvaient pour discuter Paul Valéry, Max Jacob, Léon Blum, Jean Giraudoux.

SAINT-GERMAIN-DES-PRÉS

Rare exemple de roman à Paris, c'est la plus vieille église de la ville. Elle fut en effet érigée du XIe au XIIe siècle, fut dévastée au moins quatre fois en quarante ans par les Normands, mais reconstruite à chaque fois dans les sévères formes romanes. A la façade, des vestiges du portail du XIIe, à demi cachés par le porche du XVIIe qui y fut édifié en 1607. Le clocher, par contre, est entièrement roman, avec ses angles épaissis de robustes contreforts.

Intérieur. Une nef et deux bas-côtés, un transept qui a subi des modifications au XVIIe siècle. Le chœur et le déambulatoire conservent encore en partie l'architecture originelle du XIIe siècle. Dans la 2ème chapelle de droite, la *tombe du grand philosophe Descartes,* dans le bras gauche du transept celle du roi polonais *Jean-Casimir.*

Sur le flanc gauche de l'église, en face de la rue de l'Abbaye, la petite place de Furstenberg: au n. 6, la maison où, en 1863, mourut Eugène Delacroix. On y trouve aujourd'hui rassemblés des objets personnels du peintre. A peu de distance, dans un quartier plein de boutiques d'images et d'objets religieux, se trouve la place Saint-Sulpice, avec l'église du même nom.

SAINT-SULPICE

Après Notre-Dame, c'est la plus grande église de Paris. Six architectes s'y succédèrent en 134 ans. C'est au dernier, le Florentin G. N. Servandoni, que l'on doit l'imposante façade qui fut toutefois modifiée en partie par Chalgrin. Elle se compose aujourd'hui d'un portique surmonté d'une loggia à balustre et est encadrée de deux tours. Sur les côtés, les têtes de transept comportent deux ordres superposés, de style jésuite.

Intérieur. Il est pour le moins grandiose: 110 m de long, 56 de large et 33 de haut (elle est plus grande donc, mais pas plus haute que Saint-Eustache). Au-dessus de l'entrée, un des meilleurs orgues de France, buffet dessiné en 1776 par Chalgrin, instrument reconstruit en 1862 par Cavaillé-Coll. Adossés aux deux premiers piliers, deux *bénitiers* qui ne sont autre que de gigantesques coquilles offertes à François 1er par la République de Venise, et que par la suite Louis XV offrit à l'église, en 1745. Dans la première chapelle à droite, Eugène Delacroix peignit de 1849 à 1861 de splendides fresques, pleines de fougue et de vigueur romantique. A la paroi droite, *Héliodore chassé du Temple,* et à celle de gauche, la *Lutte de Jacob avec l'Ange;* et à la voûte, *St Michel terrassant le dragon.* Deux statues de Bouchardon, la

SAINT-GERMAIN-DES-PRÉS — L'intérieur.

Mère de douleurs et le *Christ à la colonne,* sont adossées aux piliers du chœur. Dans la chapelle de la Vierge, décorée sous la direction de Servandoni, une *Vierge à l'Enfant* de Pigalle dans la niche au-dessus de l'autel; aux murs, des toiles de Van Loo et à la coupole fresque de Lemoyne.

LES CARMES — Le séminaire se trouve au n. 70 de la rue de Vaugirard. C'est l'ancien couvent des Carmes Déchaussés, fondé en 1611. C'est une triste réputation que la sienne: le 2 septembre 1792, 115 religieux, coupables de n'avoir pas prêté serment à la Constitution, y furent massacrés sans pitié. L'ossuaire des victimes se trouve dans la crypte.

97

LE LUXEMBOURG

C'est la même rue de Vaugirard qui nous mène directement au principal point d'attraction du quartier. Le Luxembourg est constitué d'un palais autour duquel s'étend le célèbre jardin.

LE PALAIS — C'est à Marie de Médicis que l'on doit sa construction. A la mort du roi Henri IV, elle préféra habiter, plutôt que le Louvre, un endroit qui lui rappelât en quelque façon Florence, dont elle venait. En 1612, elle acquit l'hôtel du duc François de Luxembourg, ainsi qu'un beau morceau de terrain, et en 1615 chargea Salomon de Brosse d'ériger un palais dont le style et le matériau même ressembleraient le plus possible à ceux des palais florentins qu'elle avait quittés en partant pour la France. Et effectivement, aussi bien le bossage que les gros piliers annelés rappellent davantage le Palais Pitti que n'importe quel autre palais de Paris. La Façade se compose d'un pavillon à deux étages, d'une coupole et de deux autres pavillons latéraux réunis à celui du centre par une galerie. Lorsque la Révolution éclata, le palais fut ôté à la famille royale et transformé en Prison d'État. Le 4 novembre 1795, le Premier Directoire s'y installa, puis Napoléon en fit le siège du Sénat. Une autorisation du Secrétariat Général du Sénat est nécessaire pour visiter l'intérieur. La Bibliothèque est décorée de peintures célèbres de Delacroix *(Dante et Virgile dans les Limbes, Alexandre après la bataille d'Arbelles fait déposer les poèmes d'Homère dans le coffre d'or de Darius),* peintes en 1847, tandis que Jordaens peignit les Signes du Zodiaque au plafond.

LE JARDIN — Il a 23 hectares et forme un parc public quotidiennement égayé par les étudiants du Quartier Latin. Dans

Le Palais du Luxembourg.

JARDIN DU LUXEMBOURG – **La Fontaine Médicis.**

les bosquets qui s'étendent tout autour, se trouvent des fontaines, des groupes de sculptures, des terrains de jeu, même. Une belle suite de statues représentant les reines de France et les femmes célèbres s'étend le long des terrasses du jardin. Au bout d'un canal, sur le flanc est du palais, dans la perspective d'un cadre de verdure, se trouve la splendide **Fontaine Médicis,** attribuée à Salomon de Brosse. Dans la niche centrale est représenté *Polyphème surprenant Galatée avec le berger Acis,* sculpture exécutée par Ottin en 1863. De l'autre côté, un bas-relief de Valois (de 1806) représente *Léda et le cygne.*

PETIT-LUXEMBOURG – Il se trouve sur la droite du Luxembourg, entrée au n. 17 de la rue de Vaugirard. Ayant appartenu autrefois à Marie de Médicis et au cardinal de Richelieu, il est aujourd'hui la résidence du président du Sénat.

La fontaine dite « des Quatre parties du Monde ».

AVENUE DE L'OBSERVATOIRE – C'est une splendide avenue plantée d'arbres qui mène des jardins du Luxembourg à l'Observatoire. Au milieu de l'avenue, dans la verdure, se trouve la célèbre fontaine appelée aussi *des Quatre parties du Monde* (Davioud, 1875). Elle est formée d'un groupe de figures féminines symbolisant les quatre parties du monde, sculptées par Carpeaux avec une grâce et une légèreté incroyables.

L'OBSERVATOIRE – Il se trouve au bout de l'avenue et est le siège du Bureau International de l'Heure depuis 1919. C'est Colbert qui décida de sa construction, et fit commencer les travaux le 21 juin 1667 (jour du solstice d'été), d'après le projet de Claude Perrault. Les quatre façades de l'édifice sont exactement orientées vers les quatre points cardinaux et le méridien de Paris passe juste au centre de la construction.

De là, on rejoint la **place Denfert-Rochereau**, dédiée au colonel qui, à Belfort, opposa une farouche résistance aux Allemands en 1870. Ici également s'ouvre l'entrée des **Catacombes**, grottes de calcaire d'époque gallo-romaine, qui furent utilisées comme ossuaire en 1785. On rassemble ici les milliers d'ossements provenant des nombreux cimetières de la ville. Il est assez probable qu'il s'y trouve les restes (non identifiables, désormais) de nombre des protagonistes de la Révolution (Robespierre, Danton, Saint-Just), qui furent jetés à la fosse commune.

MONTPARNASSE

Son nom lui vient d'une petite hauteur qui surgissait près d'ici, nivelée au cours du XVIIIe siècle, et qui s'appelait le Parnasse. Dans les années 1920-1940, le quartier était fréquenté surtout par des artistes, écrivains et peintres, qui donnèrent ainsi à Montparnasse cet air typiquement bohème qui en fit le cousin et rival de l'autre quartier célèbre de Montmartre. Cœur et point névralgique du quartier, le **carrefour Raspail** se trouve au croisement du boulevard Raspail et du boulevard Montparnasse. On peut voir ici une des plus belles œuvres de Rodin, le bronze représentant *Balzac,* de 2 m, 80 de haut, de 1897.

LE CIMETIÈRE MONTPARNASSE – C'est une des choses les plus intéressantes du quartier à visiter. Édifié en 1824, y sont enterrés des hommes de lettres (Proudhon, Maupassant, Huysmans, Baudelaire, Tristan Tzara), des peintres (Fantin-Latour, Soutine), des sculpteurs (Brancusi, Rude, Houdon), des musiciens (Franck, Saint-Saens) et le capitaine Dreyfus, protagoniste et victime de la fameuse « affaire ».

Malgré les nombreuses réalisations urbaines qui ont changé le visage du quartier, lui donnant un aspect évidemment plus moderne, Montparnasse garde encore des témoignages d'un passé important au point de vue artistique. Au n. 16 de la rue Bourdelle se trouve le **Musée Bourdelle,** qui rassemble presque tout l'œuvre du sculpteur Antoine Bourdelle (sculptures, peintures, dessins). Du point de vue scientifique, nous voyons là l'**Institut Pasteur,** avec un laboratoire de recherche, des centres d'études, un centre de fabrication de sérum et de vaccin, et un hôpital très bien équipé. Dans l'édifice se trouve également la crypte où est enseveli le grand médecin.

Montparnasse possède aussi un témoignage rare d'architecture métallique appliquée à un édifice religieux: l'église de **Notre-Dame du Travail,** de 1900. En continuant, nous rencontrons la **rue de la Gaité,** ainsi appelée parce qu'au XVIIIe siècle elle était bordée de restaurants, de cabarets et de salles de bal. Au n. 20 se trouve aujourd'hui le célèbre music-hall **Bobino.**

Montparnasse.

7ème itinéraire

VISITE DU QUARTIER LATIN - DE ST-SÉVERIN *(Métro: ligne 4 — Station St-Michel)* **À ST-NICOLAS DU CHARDONNET.**

Boulevard St-Michel ∗ **St-Séverin** ∗ St-Julien-le-Pauvre ∗ Square René Viviani ∗ **Hôtel de Cluny** ∗ École de Médecine ∗ Collège de France ∗ Sorbonne ∗ Lycée Henri IV ∗ St-Étienne du Mont ∗ St-Jacques du Haut-Pas ∗ **Val-de-Grâce** ∗ St-Médard ∗ Manufacture des Gobelins ∗ Place d'Italie ∗ Hôpital de la Salpêtrière ∗ **Jardin des Plantes** ∗ Mosquée ∗ Arènes de Lutèce ∗ St-Nicolas du Chardonnet.

LE QUARTIER LATIN

Dire Quartier Latin aujourd'hui c'est dire Sorbonne, Université. D'origine très ancienne, il devint le quartier des études lorsqu'au XIIIe siècle l'Université se transporta de l'Ile de la Cité sur la « rive gauche ». En peu de temps elle devint très célèbre à cause de l'attrait exercé sur les étudiants par les grands maîtres qui y enseignaient (St Bonaventure, St Thomas d'Aquin, St Albert le Grand). On peut commencer l'itinéraire à travers le Quartier Latin par la **place St-Michel,** de l'époque de Napoléon III. Une belle **fontaine** (Davioud, 1860) est ornée d'un groupe en bronze de St Michel terrassant le dragon. En août 1944, d'âpres combats se déroulèrent sur cette place entre les étudiants de la Résistance et les Allemands.

LE BOULEVARD ST-MICHEL — Cette grande voie inaugurée au Second Empire, appelée familièrement par les Parisiens le « Boul 'Mich' », monte tout droit de la Seine vers la colline Ste Geneviève. Animé, plein de librairies anciennes, de cafés bruyants, de restaurants exotiques et de cinémas d'avantgarde, c'est le cœur du quartier.

SAINT-SÉVERIN

A la fin du XIe siècle déjà, St-Séverin était la paroisse de toute la « rive gauche ». L'église, dans sa forme actuelle, commença à se construire dans la première moitié du XIIIe siècle et sa construction dura pendant tout le XVIe siècle. Ici, dit la légende, Dante venait prier à l'époque de son hypothétique voyage à Paris, peut-être en 1307. Le **portail** de la façade est du XIIIe siècle: il provient de l'église de St-Pierre-aux-Bœufs, démolie en 1839. Au-dessus, les fenêtres et la rose sont de style gothique flamboyant (XVe siècle), tandis que le campanile qui s'élève sur la gauche est du XIIIe siècle. De petits gâbles sculptés courent le long des côtés et de l'abside de l'église.

Intérieur. 50 m de long, 34 de large et 17 de haut, l'église a une nef et un double déambulatoire, pas de transept et un petit chœur. Les trois premières travées de la nef sont les plus anciennes: elles sont en effet du XIIIe siècle, tandis que les autres sont des XVe et XVIe siècles. Sous les arcades s'ouvre la galerie du triforium, le plus ancien de Paris. Dans ces travées toujours, les piles sont ornées de chapiteaux, au contraire de celles des travées suivantes, qui sont en gothique flamboyant. L'**abside** présente cinq arcades plus hautes que celles du chœur. Dans ce dernier, il faut admirer le magnifique double déambulatoire, érigé entre 1489 et 1494, avec les nombreuses nervures qui partent, semblables à des rayons, du haut des colonnes. Aux fenêtres, de beaux vitraux de la fin du XVe. Le travail de la façade représente l'*Arbre de Jessé* (début du XVIe).

SAINT-JULIEN-LE-PAUVRE — Bien qu'elle soit petite, cette église est très pittoresque. C'est une des plus anciennes de Paris, sa construction remonte en effet à la même époque que Notre-Dame (1165-1220 environ). A partir de 1889 on y célèbre l'office dans le rite melchite. Au XVIIe siècle sa structure est notablement modifiée, lorsque l'on démolit deux travées de la nef et la façade.

Intérieur. Il comporte une nef, deux bas-côtés aux piliers ornés de beaux chapiteaux à feuilles d'acanthe et trois absides.

SQUARE RENÉ VIVIANI — Ce petit jardin planté de tilleuls s'ouvre devant l'église. Ici fut planté en 1683 un robinier, qui est un des plus vieux arbres de Paris, introduit de l'Amérique du Nord par le botaniste Robin, qui a donné son nom à la plante. D'ici, le paysage dont on jouit est peut-être encore plus beau que sur le côté de Notre-Dame.

L'HÔTEL DE CLUNY

Cet édifice, enserré dans la verdure d'un jardin, est sans nul doute un des plus beaux exemples d'architecture de gothique flamboyant. L'Hôtel est adossé aux ruines de Thermes romains (du IIe siècle ou du début du IIIe). Le terrain sur lequel il s'élève était la propriété du monastère de Cluny en Bourgogne: là, entre 1485 et 1498, l'abbé Jacques d'Amboise fit construire un « hôtel » où pouvaient résider les moines bénédictins qui venaient de Cluny visiter la capitale. Vendu et devenu bien public durant la Révolution, il devint en 1833 la demeure du collectionneur Alexandre du Sommerard. A sa mort (1842) l'édifice et les collections qui s'y trouvaient devinrent propriété de l'État. En 1844 fut inauguré le musée où furent rassemblés les témoignages de la vie française au Moyen-Age (des costumes aux armes, des bijoux aux céramiques, des tapisseries aux peintures et aux statues).

LE MUSÉE

On entre dans le Musée par la cour. De là on peut admirer l'édifice dans toute sa beauté: deux files de fenêtres à croisée de pierre et une tour d'escalier ornée des emblèmes de St Jacques. La balustrade qui couronne le toit et les lucarnes sont typiques du gothique flamboyant.
Le Musée compte 24 salles. Une des plus précieuses collections est celle des tapisseries tissées dans la Loire et dans les Flandres (XVe et XVIe siècles). Dans la Salle XI, dite aussi

HÔTEL DE CLUNY – **Une des salles.**

la Rotonde, est conservée la célèbre tapisserie de la *Dame à la Licorne*, des premières années du XVIe siècle. A cet étage toujours, la salle sans nul doute la plus célèbre et la plus belle est la XXe, la **chapelle,** l'ancien oratoire des abbés. De pur style gothique flamboyant, elle a un pilier unique au centre, d'où partent les nervures de la voûte: le long des parois, une série de consoles soutiennent les niches avec les statues de la famille d'Amboise. Dans cette chapelle se trouvent les célèbres tapisseries illustrant la *Légende de St Étienne,* destinées à la cathédrale d'Auxerre, et exécutées

HÔTEL DE CLUNY – **L'entrée.**

vers 1490. Dans les salles suivantes, une autre grande tapisserie du début du XVIe représente la *Parabole du Fils prodigue*.

L'ÉCOLE DE MÉDECINE – Elle se trouve au n. 12 de la pittoresque rue de l'École de Médecine. Elle fut construite entre 1769 et 1786. Les agrandissements de 1878-1900 entraînèrent la disparition d'illustres édifices: la maison où Charlotte Corday poignarda Marat et l'atelier où travaillait Courbet. Face à l'édifice, une *statue de Danton* (A. Paris, 1891).

LE COLLÈGE DE FRANCE – Il s'élève sur les vestiges des Thermes gallo-romains et fut construit entre 1610 et 1778 par Chalgrin. Le Collège de France fut fondé par François 1er en 1530, en tant qu'enseignement indépendant de la Sorbonne. Depuis 1852 il est rattaché au Ministère de l'Éducation Nationale, et on y fait des cours libres de littérature et de sciences. Il est précédé d'un jardin où se trouvent une *statue de Dante* (Aubé, 1879) et un monument représentant *la Pléiade*. Dans un souterrain se trouve le cyclotron avec lequel Frédéric Joliot-Curie réalisa la fission du noyau d'uranium.

Église de la Sorbonne.

LA SORBONNE

On désigne du nom de Sorbonne l'ensemble d'édifices dans lesquels se trouve le siège de l'Université de Paris depuis sept siècles. En 1253, le confesseur du roi Louis IX, Robert de Sorbon, voulut fonder un collège où l'on enseignerait la théologie même aux plus pauvres: ce fut le premier noyau de la future grande Université. Dans le vaste espace qu'elle occupe aujourd'hui se trouvent, outre les autres sections d'étude, la bibliothèque et le rectorat.

L'ÉGLISE DE LA SORBONNE

C'est la partie la plus ancienne des édifices de l'Université: érigée entre 1635 et 1642 par Lemercier, elle a une façade à deux ordres typiquement baroque, dominée par son élégante coupole. L'ordre inférieur est relié à l'ordre supérieur par des volutes. Les colonnes du premier plan se transforment au second en piliers engagés, de façon à créer une accentuation graduelle de la luminosité.

Intérieur. Dans le transept, Girardon a sculpté en 1694, d'après un dessin de Le Brun, le *tombeau* en marbre blanc du *cardinal de Richelieu*.

La colline sur laquelle nous nous trouvons est appelée la Montagne Ste Geneviève. On suit la rue Soufflot, pleine de librairies et de maisons d'éditions spécialisées dans le Droit. Au bout de la rue, à l'angle de la place du Panthéon, à gauche la **Faculté de Droit** (Soufflot, 1770) et à droite la **Mairie du Ve Arrondissement** (Hittorf, 1850). Sur la place, dominée par la masse majestueuse du Panthéon, la **Bibliothèque Ste Geneviève**, œuvre de Labrouste (1844-1850), riche de manuscrits et d'incunables.
Sur les côtés du Panthéon, deux statues en marbre représentant *Corneille* et *Rousseau*.

LE PANTHÉON

Créé comme église Ste Geneviève à la suite d'un vœu de Louis XV tombé gravement malade en 1744, le Panthéon naquit d'un projet de Soufflot (1758) et fut terminé avec la contribution de Rondelet en 1789. Au temps de la Révolution, il devint un temple de la Gloire destiné à recevoir la dépouille mortelle des grands hommes. Napoléon le rouvrit au culte en 1806, mais seulement jusqu'en 1885, où il redevint définitivement un temple laïque.
Ses proportions sont exceptionnelles: 110 m de long et 83 de haut. Par une volée de marches, sur la façade, on entre dans le pronaos de 22 colonnes soutenant un fronton: sur celui-ci, David d'Angers sculpta en 1831 l'*allégorie de la Patrie entre la Liberté et l'Histoire*. On y lit la célèbre inscription « Aux grands hommes, la patrie reconnaissante ». La grandiose coupole domine tout le monument: un portique de colonnes corinthiennes entoure le tambour.

Intérieur. Il est en croix grecque, avec une coupole qui s'élève à la croisée de transept et est soutenue par quatre

La rue Soufflot et le Panthéon.

piliers: contre l'un d'eux est adossé le *tombeau de Rousseau.* Aux parois, Puvis de Chavannes peignit l'*histoire de Ste Geneviève.* Sous le temple se trouve la **crypte,** où sont conservées les cendres de nombre d'hommes illustres. Parmi tant d'autres, celles de Victor Hugo (transférées ici en 1885), celles d'Émile Zola, de Voltaire, de Carnot, de Mirabeau et de l'auteur même de l'édifice, Soufflot.

Du sommet de la **coupole** (425 marches) on admire un vaste et magnifique panorama.

LE LYCÉE HENRI IV – Il se trouve derrière le Panthéon. Ici, après la victoire remportée sur les Visigoths à Vouillé, le roi Clovis fit construire une basilique (1510) où furent rassemblées la dépouille mortelle de sa femme Clotilde et

SAINT-ÉTIENNE DU MONT — **La façade.**

celle de Ste Geneviève. De cette construction il ne reste que le réfectoire et le campanile de l'église, dite **Tour de Clovis,** de formes romanes et gothiques. Le Lycée y fut installé après 1796.

SAINT-ÉTIENNE DU MONT

C'est une des plus curieuses églises de Paris, aussi bien par sa façade que par son intérieur. Elle fut commencée en 1492 mais terminée seulement en 1622. La façade est un amalgame bizzarre de styles gothique et Renaissance, en trois frontons superposés.

Intérieur. Il est tout aussi singulier. Gothique, avec une

SAINT-ÉTIENNE DU MONT – L'intérieur et le jubé.

nef et des bas-côtés, de très hauts piliers cylindriques soutiennent ses voûtes, reliées entre elles par une tribune qui
court au-dessus des arcades. L'élément qui caractérise cette
église est le **jubé,** c'est-à-dire la tribune suspendue qui sépare la nef du chœur. C'est peut-être Philibert Delorme qui
le dessina, et c'est le seul jubé que l'on connaisse à Paris:
il fut construit de 1521 à 1545. Caractérisé par un bel ajour
d'inspiration Renaissance, il se prolonge par les escaliers en
spirale latéraux. Dans le déambulatoire, près des piliers de
la chapelle de la Vierge, les *tombeaux de Pascal et de Racine.*
Beaux vitraux des XVIe et XVIIe siècles. Toujours dans l'église

110

on trouve le *reliquaire de Ste Geneviève,* patronne de Paris qui, en 451 sauva la ville de la menace des Huns.

On parcourt la **rue St Jacques,** une des plus anciennes et des plus importantes rues de la rive gauche. Ici se trouve l'église **St-Jacques-du-Haut-Pas** (1630-1685), un des centres les plus fervents du Jansénisme.

LE VAL-DE-GRÂCE

La construction de ce splendide ensemble architectural du XVIIe siècle est due à Anne d'Autriche qui, n'ayant pas encore d'enfants fit le vœu d'élever une riche église si elle avait enfin l'héritier tant désiré. Le futur Louis XIV naquit en 1638 et on entreprit aussitôt les travaux, d'après un projet de François Mansart. Le petit roi lui-même posa la première pierre en 1645. Puis Mansart, jugé trop lent par la reine, fut remplacé par Lemercier. Un autre architecte toutefois, Le Duc, termina les travaux en 1667. En 1710 l'église fut consacrée. Construite dans le style jésuite, elle présente une façade à deux ordres de colonnes avec un double fronton triangulaire. Elle est surmontée d'une belle coupole élancée de 40 m de haut.

Intérieur. Il est du plus pur style baroque: une seule nef avec une voûte en berceau, des chapelles latérales communiquant entre elles et un chœur avec six chapelles (deux latérales et quatre angulaires). La coupole est décorée par une fresque grandiose de P. Mignard, représentant la *Gloire des Bienheureux,* composition de plus de deux cents figures, trois fois plus grandes que nature. La décoration de sculpture, par contre, revient aux frères Anguier et à Philippe Buyster. A droite, la **chapelle St Louis,** ancien chœur des Bénédictins; à gauche, la **chapelle Ste Anne** où, à partir de 1662 furent déposés les cœurs de la famille royale et de la famille d'Orléans, disparus en 1792 durant la Révolution. Aujourd'hui il ne reste visible de l'ancien couvent des Bénédictins que le beau **cloître** à deux étages de galeries et le pavillon où résidait Anne d'Autriche.

SAINT-MÉDARD — L'église s'élève au bout de la rue Monge, en face de la caractéristique et populaire rue Mouffetard. Dédiée à St Médard, conseiller des rois mérovingiens, elle fut commencée au XVe siècle et terminée seulement en 1655. La **façade** présente une immense fenêtre de style gothique flamboyant, de même que la grande nef, tandis que le chœur est Renaissance. Plusieurs œuvres d'art intéressantes sont conservées dans cette église: une peinture attribuée à Zurbaran, représentant *St Joseph et l'Enfant-Jésus,* dans la IIIe chapelle de droite et un *Christ mort,* peut-être de Philippe de Champaigne, dans la IIe chapelle à droite du chœur.

LA MANUFACTURE DES GOBELINS — Au 42 de l'avenue des Gobelins se trouve la manufacture de tapisseries célèbre dans le monde entier. Dans cet édifice s'installa, en 1440, un teinturier du nom de Jean Gobelin, qui installa là sa petite fabrique. En 1601, celle-ci fut cédée par ses héritiers à deux tapissiers flamands de Bruxelles que le roi Henri IV fit venir à Paris. Puis, en 1662, Louis XIV chargea Colbert d'y regrouper les diverses teintureries de la ville, qui devinrent ainsi en 1667 la « Manufacture Royale des Tapisseries de la Couronne », à laquelle s'ajouta cinq ans plus tard la Manufacture Royale des Meubles. Plus de 5000 tapisseries de grande valeur furent exécutées d'après les dessins des grands maîtres (Poussin, Van Loo, Boucher, jusqu'à Picasso). Depuis le XVIIe siècle l'organisation et les méthodes artisanales de la Manufacture sont restées inchangées. On peut visiter les laboratoires et la Galerie où sont exposées des tapisseries du XVIIe et du XVIIIe siècles.

PLACE D'ITALIE – C'est au bout de l'avenue des Gobelins que s'étend cette place, ancien octroi de Paris, aujourd'hui centre agité d'un quartier en pleine expansion.

De la place d'Italie part le **boulevard de l'Hôpital.** Au n. 47, l'**hôpital de la Salpêtrière,** le plus vaste ensemble hospitalier de la ville. C'était autrefois une poudrerie, que Louis XIV fit transformer en hôpital en 1684. Immense et majestueux, il est précédé d'un vaste jardin à l'italienne. Au centre, la coupole de la **chapelle St Louis,** surmontée d'une lanterne. L'intérieur est assez original: quatre nefs disposées en croix grecque autour d'un transept. A l'hôpital de la Salpétrière, le jeune Freud étudia sous la direction de Charcot. Le boulevard de l'Hôpital se termine au **pont d'Austerlitz,** place Valhubert, dont un côté est occupé par la **Gare d'Austerlitz,** de 1869. Juste en face du pont se trouve le Jardin des Plantes.

LE JARDIN DES PLANTES

Son origine remonte à 1626, lorsque Hérouard et Guy de la Brosse, médecins de Louis XIII, créèrent un « Jardin Royal des herbes médicinales », ouvert au public en 1650. Un nouvel élan pour l'enrichissement des collections fut donné par le premier médecin de Louis XIV, Fagon, par le botaniste Tournefort, les trois frères de Jussieu, qui parcoururent le monde à la recherche de nouvelles plantes; mais ce fut surtout avec le grand naturaliste Buffon que le jardin connut sa plus grande splendeur: en effet, il étendit le parc jusqu'à la Seine, créa des galeries, le labyrinthe, l'amphithéâtre. A l'époque de la Révolution, le jardin devint le Musée National d'Histoire Naturelle. Grâce aux apports et au travail incessant de nombreux et éminents savants, il est devenu un des plus riches musées du monde.

Visite du jardin. Passée la grille, nous trouvons tout de suite le **Jardin botanique,** divisé en vastes parterres par de grandes allées. Ici se trouve l'**École de botanique,** avec plus de 10.000 espèces de plantes, classées avec méthode; le **jardin d'hiver,** avec ses plantes tropicales; le **jardin alpin,** avec ses collections de plantes provenant des régions polaires et des montagnes de l'Himalaya, des Alpes, etc.

Musée d'Histoire Naturelle. Il se trouve au-delà de l'allée de gauche et regroupe plusieurs sections: celle de *Paléontologie* (fossiles, animaux préhistoriques, moulages d'espèces disparues), celle de *Botanique,* et celle de *Minéralogie* (pierres précieuses, minéraux, météorites) et celles des *collections cynégétiques du duc d'Orléans.* Dans le pavillon de *Zoologie,* squelettes, coquillages et animaux embaumés. Près de ce pavillon, outre les *Serres* (avec des plantes provenant de l'Amérique du Sud, de l'Australie, etc.), se trouve le *Labyrinthe,* avec des plantes rarissimes, parmi lesquelles le cèdre du Liban planté en 1734 par Bernard de Jussieu. Il est aussi intéressant de visiter les *Ménageries,* vastes cages remplies d'oiseaux, de fauves, d'éléphants, de singes, etc.

La Mosquée.

LA MOSQUÉE – Près du Jardin, avec son entrée place du Puits-de-l'Ermite, se trouve la Mosquée, original coin d'Orient au beau milieu du cœur du vieux Paris, qui ne manquera pas d'attirer la curiosité de tous les touristes. Il faut voir la **cour** de style hispano-mauresque, le **patio,** inspiré de celui de l'Alhambra de Grenade et la **salle de prières,** ornée de tapis précieux.

LES ARÈNES DE LUTÈCE – Avec leur entrée au n. 49 de la rue Monge, on trouve ici les arènes romaines de la ville de Paris. Nous ne savons pas avec précision quand fut construit ce monument d'origine gallo-romaine: peut-être aux environs des IIe-IIIe siècles. Les Arènes furent endommagées par les Barbares en 280 et retrouvées en 1869. Au début de ce siècle elles furent restaurées et réaménagées en parc. Ces arènes faisaient office d'amphithéâtre (pour les jeux du cirque) et de théâtre en même temps. La « cavea » était de forme elliptique, avec 36 rangs de gradins, dont beaucoup ont disparu. La plate-forme de la scène est encore visible ainsi que la piste circulaire de l'amphithéâtre.

SAINT-NICOLAS-DU-CHARDONNET – Consacrée à St Nicolas, protecteur des bateliers, elle fut construite en style baroque entre 1656 et 1709. A l'extérieur, beau *portail latéral* sculpté d'après un dessin de Le Brun.

Intérieur. De style jésuite, elle a une nef avec des bas-côtés, un chœur avec déambulatoire et renferme de nombreuses œuvres d'art. Dans la 1ère chapelle à droite, une œuvre de Corot représente le *Baptême de Jésus;* dans le déambulatoire, dans la IIe chapelle de droite, le *tombeau de l'avocat général Jérôme Bignon,* œuvre de Girardon; dans la seconde chapelle à gauche de la chapelle de l'abside, le *tombeau du peintre Le Brun et de sa femme,* de Coysevox. Une autre œuvre de Charles Le Brun, représentant *St Charles Borromée* se trouve au-dessus de l'autel.

8ème itinéraire

DE L'HÔTEL DE VILLE *(Métro: lignes 1 et 2 — Station Hôtel-de-Ville)* À L'HÔTEL DE SENS.

Place de l'Hôtel-de-Ville * **Hôtel de Ville** * St-Gervais-St-Protais * Rue des Archives * Archives Nationales * **Hôtel de Soubise** * **Hôtel de Rohan** * Rue des Francs-Bourgeois * **Hôtel Carnavalet** * **Place des Vosges** * Rue St-Antoine * **St-Paul - St-Louis** * **Place de la Bastille** * Bibliothèque de l'Arsenal * **Hôtel de Sens.**

PLACE DE L'HÔTEL-DE-VILLE — Elle prit son aspect actuel en 1853, mais pendant des siècles, de 1310 à 1380 son vaste espace fut le lieu des exécutions capitales (le brigand Cartouche y fut justicié en 1721). Encadrée par la rue de Rivoli d'un côté et par la Seine de l'autre, elle est entièrement dominée par la large façade de l'Hôtel de Ville.

L'HÔTEL DE VILLE

Le vieux et glorieux Hôtel de Ville, aujourd'hui siège de la Municipalité de la ville, occupe l'emplacement d'un précédent édifice du XVIe siècle, dessiné par Dominique de Cortone, construit dans le style Renaissance, mais détruit par un incendie à l'époque de la Commune en 1871. L'actuelle construction s'inspire de cet édifice disparu. Exécuté d'après un projet de Deperthes et Ballu, il fut terminé en 1882. Il se compose de plusieurs pavillons surmontés de coupoles en tronc de pyramide, avec une forêt de statues disséminées partout. On en compte 136 sur les quatre façades du palais; sur une terrasse se trouve celle qui représente Étienne Marcel, Prévôt des marchands de Paris et fauteur des désordres qui agitèrent la ville au XIVe siècle. A l'intérieur de l'édifice, les soldats de la Convention arrêtèrent Robespierre et ses fidèles, le 27 juillet 1794.

SAINT-GERVAIS - SAINT-PROTAIS

Dédiée aux saints Gervais et Protais, deux frères martyrs sous Néron, l'église s'élève aujourd'hui sur une petite place derrière l'Hôtel de Ville. Sa construction, en style gothique flamboyant, fut commencée en 1494 et terminée en 1657. Sa **façade**, imposante dans son classicisme (c'est le premier exemple à Paris), fut exécutée entre 1616 et 1621 par Métezeau (ou par Salomon de Brosse, selon une autre thèse): elle comporte trois ordres de colonnes, de style dorique, ionique et corinthien.

Intérieur. Une grande nef séparée des bas-côtés par des piliers, un transept, chœur avec déambulatoire et chapelles latérales. De beaux vitraux du XVIe au-dessus de la grande nef et du chœur. Au-dessus du portail central, un orgue de 1601. A droite dans la chapelle, une peinture de Sebastiano Ricci; dans le déambulatoire (IVe chapelle à droite) le *tombeau de Michel Le Tellier,* chancelier de Louis XV (Ma-

L'Hôtel de Ville.

Saint-Gervais — Saint-Protais.

zeline et Hurtrelle); dans le bas-côté gauche, dans la IIIe chapelle, le devant d'autel est un beau bas-relief en pierre représentant la *Mort de la Vierge* (XIIIe siècle). Un peu plus en avant s'ouvre la **Chapelle Dorée,** de 1628, décorée de panneaux peints enchâssés dans une boiserie, et représentant des *Épisodes de la vie et de la Passion du Christ.* Adossée à un pilier, une *Vierge à l'Enfant,* gothique, en pierre polychrome. Voir de l'extérieur la belle abside et le campanile du XVIIe siècle.

LA RUE DES ARCHIVES – Cette rue, qui va de la rue de Rivoli au square du Temple, longe l'aristocratique et vieux **quartier du Marais,** qui devint le centre élégant et mondain aux débuts du XVIIe. C'est ici, en effet, que naît et se développe ce type d'**hôtel** français caractéristique, qui est un édifice classique, avec cour et jardin. Lorsque par la suite la mode et le « beau monde » se déplacèrent d'abord dans l'Ile-Saint-Louis puis dans le faubourg Saint-Germain, le déclin du quartier commença et il finit par être complètement abandonné avec la prise de la Bastille. Au n. 22 se trouve l'**église des Billettes** (1756), tandis qu'au numéro suivant nous pouvons visiter le seul cloître médiéval resté à Paris. En continuant, nous trouvons au n. 60 l'**Hôtel Guénégaud,** construit entre 1648 et 1651 par François Mansart et restructuré au XVIIe siècle: de lignes sobres et simples, il abrite le **Musée de la Chasse,** riche de collections d'armes de chasse de la préhistoire à nos jours.

LES ARCHIVES NATIONALES – Ce sont les édifices les plus importants de cette rue et les plus riches archives du monde: une collection de 6 milliards de documents qui permettent de connaître l'histoire de France de l'époque mérovingienne à aujourd'hui. De nos jours, les Archives sont installées dans l'**Hôtel de Soubise** et dans l'**Hôtel de Rohan.**

L'HÔTEL DE SOUBISE

L'entrée du palais se trouve au n. 60 de la rue des Francs-Bourgeois: de celle-ci on passe dans la cour d'honneur, en forme de fer-à-cheval, d'où l'on admire la façade avec les **statues des Saisons.** Au premier étage se trouvent les splendides appartements du prince et de la princesse de Soubise, peints à fresque par les meilleurs peintres de l'époque (Boucher, Van Loo, etc.), et ornés de boiseries par les meilleurs sculpteurs (Lemoyne, Adam, etc.). Les documents rassemblés ici constituent le **Musée de l'Histoire de France.** On y trouve, entre autres, les actes de fondation de la Sainte-Chapelle et de la Sorbonne, l'Édit de Nantes et sa Révocation, une des six lettres écrites par Jeanne d'Arc, un gant ayant appartenu au régicide Damiens, le premier catalogue du musée du Louvre, daté du 10 août 1793.

L'HÔTEL DE ROHAN

L'entrée de l'Hôtel se trouve au 87 de la rue Vieille-du-Temple; il communique par un jardin avec le palais Soubise, sur lequel donne la façade principale de l'édifice. Dans la cour de droite, au-dessus des anciennes écuries, les magnifiques *Chevaux d'Apollon,* chef-d'œuvre de Robert Le Lorrain. Un grand escalier mène aux appartements du premier étage. Il faut remarquer en particulier le luxueux *Salon Doré* et l'original *Cabinet des Singes,* décoré par Huet (1749-1752).

LA RUE DES FRANCS-BOURGEOIS — Cette autre rue importante du quartier s'appelait d'abord rue des Poulies. En 1334, on y fonda des « maisons d'aumône », maisons où trouvaient asile les citoyens qui ne payaient pas d'impôts à cause de leurs maigres ressources et appelés pour cela « francs bourgeois ». La rue, qui de la rue des Archives va jusqu'à la place des Vosges, est bordée elle aussi d'aristocratiques palais. Au n. 53 se trouve l'entrée du chevet de **Notre-Dame des Blancs-Manteaux** (splendide exemple de *chaire* en bois sculpté incrusté d'ivoire, travail flamand de 1749 de style rococo). Il faut voir aussi l'**Hôtel Hérouet**, habitation de Jean Hérouet, trésorier de Louis XII, pour sa tourelle en encorbellement de 1510. Au n. 31, l'**Hôtel d'Albret,** du XVIe siècle mais restauré au XVIIe, présente une belle façade remaniée au XVIIIe. En continuant, nous trouvons à l'angle de la rue Pavée l'**Hôtel Lamoignon**. Construit en 1580 par Diane de France (fille légitime d'Henri II), il devint en 1658 la demeure de Lamoignon, président du premier Parlement de Paris. Alphonse Daudet y habita également. Le corps principal de bâtiment est divisé par six colonnes corinthiennes, sa façade donne sur le jardin. Ce palais est le siège de la **Bibliothèque Historique de la Ville de Paris,** qui contient 500.000 documents.

L'HÔTEL CARNAVALET

L'entrée de cet Hôtel, un des plus beaux de la ville et siège de l'un des plus intéressants musées, se trouve au n. 23 de la rue de Sévigné. Construit en 1544, de forme Renaissance avec une belle décoration plastique de Jean Goujon, il fut remanié en 1655 par François Mansart, qui le suréleva d'un étage et lui donna son aspect actuel. En 1677, il fut pris en location par la femme de lettres Marie de Rabutin, plus connue sous le nom de marquise de Sévigné; puis au siècle

HÔTEL CARNAVALET — **La cour et la statue de Louis XIV.**

suivant il devint le siège du Musée du même nom qui, par des documents historiques d'une importance et d'une rareté exceptionnelles illustre l'histoire de Paris à travers les personnages historiques, les monuments et les costumes de Henri IV à nos jours. De la porte principale (XVIe siècle — les *lions* et l'*Abondance* de la clé de voûte sont de Jean Goujon) on accède à la Cour, au centre de laquelle se trouve la *statue en bronze de Louis XIV* par Coysevox (1689). Seul le corps de logis du fond est encore de style gothique, tandis que les *reliefs des Quatre Saisons* se réclament de la Renaissance et sont dus à l'école de Jean Goujon.

LE MUSÉE CARNAVALET

On accède au Musée directement par la cour, à droite. Au **premier étage,** des collections de meubles, d'objets d'art d'époque, de peintures, illustrent le Paris de Louis XIV, de Louis XV et de Louis XVI. Au **rez-de-chaussée,** au contraire, la plupart des salles sont consacrées à la Révolution et au Premier Empire. Parmi les reliques les plus intéressantes, citons l'acte d'accusation de Louis XVI et la clé du Temple, où fut enfermée la Famille Royale, la toilette et la chaise dont se servit Marie-Antoinette dans la Tour du Temple (sur la tablette se trouvent des flacons de parfum et une miniature du Dauphin que la Reine exécuta durant sa captivité), le plat-à-barbe et les rasoirs de Louis XVI, le jeu de loto et un cahier de devoirs du Dauphin, une maquette de guillotine, la feuille d'appel à la Section des Piques que Robespierre était en train de signer quand on vint l'arrêter (on voit encore les deux premières lettres du nom et les taches de sang du tribun) et encore l'épée et les épaulettes de La Fayette, le bonnet phrygien et la pique de Lefebvre....

PLACE DES VOSGES

Carré parfait de 108 m de côté, elle est complètement fermée par trente-six anciens et caractéristiques palais, au rez-de-chaussée à arcades surmonté des files de fenêtres de leurs deux étages. Au centre de la place, au milieu des arbres et des parterres, la *statue en marbre de Louis XIII à cheval,* copie de celle de P. Biard qui fut détruite pendant la Révolution. La place s'étend sur l'emplacement de l'ancien Hôtel des Tournelles, où Henri II trouva la mort au cours d'un tournoi, en 1559. Commencée par Henri IV en 1607 elle fut terminée en 1612. Au milieu du côté sud se trouvait le luxueux **Pavillon du roi,** réservé à Henri IV, tandis qu'en face se trouvait celui de la reine. Au n. 1 bis naquit Madame de Sévigné, au n. 2 Richelieu habita, au n. 6, le vieil **Hôtel de Rohan-Guéménée,** où Victor Hugo habita de 1832 à 1848. Aujourd'hui se trouve là le **Musée Victor Hugo,** où sont rassemblés les souvenirs et témoignages les plus importants de sa vie et 350 dessins qui attestent de la hauteur et de la variété de son génie.

La Place des Vosges.

RUE SAINT-ANTOINE — C'est la suite de la rue de Rivoli, elle va jusqu'à la Bastille. Élargie au XIVe siècle, elle devint un lieu de promenade et de rendez-vous. Ici, en 1559, Henri II organisa un tournoi pour fêter le mariage de sa fille, mais fut touché à l'œil par la lance de son capitaine des Gardes écossaises Montgoméry et, transporté dans l'Hôtel des Tournelles, y mourut.

SAINT-PAUL - SAINT-LOUIS

C'est un autre bel exemple d'église de style jésuite, le plus ancien après celui du couvent des Carmes. En effet, il fut construit entre 1627 et 1641 et son aspect baroque s'inspire de l'église du Gesù à Rome. Sa façade est si haute, dans la superposition de ses ordres de colonnes, qu'elle cache le dôme. Particularité que nous rencontrons rarement: par la suite (Dôme des Invalides, Sorbonne, Val-de-Grâce), le dôme restera visible.

Intérieur. Très lumineux, c'est une nef unique, avec des chapelles qui communiquent entre elles. A la croisée de transept, une belle coupole surmontée d'une lanterne. L'église possédait de nombreuses œuvres d'art, dont beaucoup, malheureusement, ont disparu durant la Révolution, entre autres les reliquaires contenant les cœurs de Louis XIII et de Louis XIV, qui furent fondus. Dans le transept, trois tableaux du XIIe siècle, représentant des *Scènes de la vie de saint Louis.* Le quatrième, perdu, a été remplacé par un tableau de Delacroix (1827), le *Christ au Jardin des Oliviers.* Une statue de Germain Pilon (XVIe siècle) représentant une *Vierge de douleurs* se trouve dans la chapelle à gauche du chœur.

Dans la rue St-Antoine toujours, nous trouvons au n. 62 l'**Hôtel de Béthune-Sully** (dit Hôtel de Sully). Construit en 1624 par Du Cerceau, il fut acheté en 1634 par Béthune-Sully, ancien ministre d'Henri IV. De nos jours il est en partie le siège de la Caisse Nationale des Monuments Historiques. La *cour d'honneur* est un des plus beaux exemples de style Louis XIII: les frontons sont décorés et les lucarnes sculptées; une suite de statues représentent *les Éléments* et *les Saisons.* Par un petit jardin on peut accéder à la place des Vosges.

PLACE DE LA BASTILLE

La rue St-Antoine se termine ici, sur cette place fameuse par les souvenirs de la Révolution. Ici, en effet, se dressait une lourde forteresse, dont la construction commencée par Charles V en 1370 fut terminée en 1382. Par la suite, elle devint Prison d'État: ici fut enfermé, en particulier, ce mystérieux personnage passé à l'histoire sous le nom de Masque de Fer. La triste forteresse devint ainsi le premier objectif, et le plus significatif, de l'insurrection populaire qui éclata le 14 juillet 1789, lorsque 700.000 Parisiens furieux marchèrent contre ce qu'ils considéraient comme le symbole de l'absolutisme monarchique. La Bastille, dont le gouverneur de Launay n'avait sous ses ordres que 32 Suisses et 82 invalides, fut en peu de temps aux mains du peuple: le gouverneur tué et les prisonniers enfermés là (à peine 7) libérés. Le jour suivant on commença la démolition de la forteresse, qui fut terminée l'année d'après. La démolition terminée, on dansa longtemps sur ce qui avait été les fondations de la terrible Bastille. Aujourd'hui, une ligne ondulée sur le pavé de la place marque le périmètre de l'ancienne forteresse. Au centre de la place se dresse la **colonne de Juillet,** construite entre 1831 et 1840 en souvenir des Parisiens tués au cours des journées de juillet 1830. Leurs corps et ceux des victimes de février 1848, sont enfermés dans le socle de marbre, et leurs noms gravés sur le fût de la colonne. Au sommet de la colonne (on y monte par un escalier de 238 marches), à 52 m de haut, le *Génie de la Liberté:* de là, on jouit d'une vue superbe sur le quartier du Marais, la Cité et la colline Ste Geneviève.

De la Bastille partent plusieurs boulevards, dont le boulevard Henri IV: à son extrémité, presque à la Seine, se trouve la **caserne des Célestins,** ancien couvent de Bénédictins, aujourd'hui caserne des Gardes Républicains.

La Place de la Bastille.

BIBLIOTHÈQUE DE L'ARSENAL — Au n. 1 de la rue de Sully. C'est Sully qui fit construire l'édifice en 1594, tandis que c'est à Philibert Delorme que l'on doit la reconstruction de la façade. La bibliothèque fut créée en 1757 par le ministre de la guerre, le marquis Paulmy d'Argenson, et fut enrichie par la suite par le comte d'Artois, le futur Charles X: elle compte aujourd'hui plus d'un million et demi de volumes, 120.000 estampes, 15.000 manuscrits, de nombreux livres enluminés et d'importants documents sur l'histoire du théâtre. Les salles sont décorées de belles peintures du XVIIIe: il vaut la peine de visiter l'appartement de Charles Nodier, qui fut bibliothécaire de 1824 à 1844.

L'HÔTEL DE SENS

Au n. 1 de la rue du Figuier, nous trouvons un second et splendide exemple, après l'Hôtel de Cluny, de grande demeure du Moyen-Age. Il fut édifié entre 1475 et 1507 pour être la résidence des archevêques de Sens (dont l'évêché de Paris dépendit jusqu'en 1622). Il fut très restauré en 1911, lorsqu'il devint propriété de la Ville de Paris.
La façade est ornée de tourelles d'angle, de fenêtres à fleuron et de lucarnes à décoration de style gothique flamboyant. On passe sous la grande porte à arc en ogive et on pénètre dans la cour avec sa caractéristique tour d'escalier. Dans l'Hôtel de Sens se trouve la **Bibliothèque Forney,** qui possède de nombreux documents techniques et scientifiques et des collections d'affiches.

L'Hôtel de Sens.

La Place du Châtelet.

DE LA PLACE DU CHÂTELET *(Métro: lignes 1, 4, 7 – Station Châtelet)* **À LA PLACE DE LA RÉPUBLIQUE.**

Place du Châtelet • Square St-Jacques • **Tour St-Jacques** • St-Merri • **Square et Fontaine des Innocents** • Temple de l'Oratoire • Les Halles • **St-Eustache** • Rue de Turbigo • Tour de Jean-sans-Peur • Rue St-Denis • St-Leu-St-Gilles • **St-Nicolas des Champs** • **Conservatoire des Arts et Métiers** • Square du Temple • Place de la République.

PLACE DU CHÂTELET

La place tire son nom d'une ancienne forteresse, le Grand Châtelet, édifiée pour défendre le voisin pont au Change, et détruite sous Napoléon Ier. Par contre, c'est à Napoléon III que la place doit son aspect actuel. Au centre, la **Fontaine du Châtelet** (ou de la Victoire ou du Palmier) avec son socle de 1858 orné de sphinx et de statues. La colonne, de 1808, fut érigée pour rappeler les victoires de Napoléon Ier. La place est encadrée par deux théâtres, œuvre tous deux de Davioud. A droite (en tournant le dos à la Seine), le **Théâtre de la Ville** et à gauche le **Théâtre du Châtelet** qui, avec ses 3.600 places est la plus grande salle de la ville.

LE SQUARE SAINT-JACQUES – Étant le premier square, à Paris, à n'être pas clôturé, il est ouvert jour et nuit. Il s'étend sur un vaste espace entre la place du Châtelet et la rue de Rivoli.

LA TOUR SAINT-JACQUES

Elle domine toute la place et c'est tout ce qui reste de l'ancienne église de St-Jacques-la-Boucherie, détruite en 1797. Elle fut construite entre 1508 et 1522, a 52 m de haut et elle est de très pur style gothique flamboyant. D'étroites fenêtres alternent avec des niches surmontées de flèches et de pinacles, entre lesquels on peut voir de nombreuses statues. La statue qui est au sommet de la tour représente *St Jacques-le-Majeur* (Chenillon - 1870). Une autre statue représentant *Pascal* est placée à la base de la tour, sous les voûtes, pour rappeler l'expérience barométrique faite par lui en 1648. La tour est aujourd'hui le siège de deux stations climatologiques.

SAINT-MERRI — Au n. 76 de la rue de la Verrerie se trouve l'entrée de l'église St-Merri ou St-Médéric, qui mourut ici au VIIe siècle. Commencée en 1520 elle fut terminée en 1612, dans un curieux style flamboyant. La **façade** a subi diverses restaurations, aux XVIIe et XVIIIe siècles: aujourd'hui, son portail est orné de statues modernes et elle est flanquée d'un campanile du XVIIe siècle.

Intérieur. Une nef, un bas-côté à gauche et un double bas-côté à droite. Il y a eu plusieurs restaurations: sous Louis XV, l'architecte Boffrand et les frères Slodtz démolirent le jubé, transformèrent les arcs brisés en arcs en plein cintre, couvrirent les piliers du chœur de stucs dorés et de marbres. Il reste encore de beaux vitraux du XVIe siècle dans le transept et dans le chœur et la voûte à nervures à la croisée de transept. L'église contient de belles œuvres d'art: un orgue du XVIIe siècle, une *Vierge à l'Enfant* de Van Loo et les boiseries des frères Slodtz dans le chœur et dans la sacristie.

LE SQUARE ET LA FONTAINE DES INNOCENTS

C'est en 1858, sous Napoléon III, que fut aménagée dans sa forme actuelle cette belle place plantée d'arbres: elle s'étend sur un espace occupé par le cimetière et l'église des Sts Innocents au XIIe siècle. En 1786 le cimetière fut démoli et remplacé par un marché de fruits et légumes. Au centre de la place s'élève la **Fontaine des Innocents,** dessinée par Pierre Lescot et sculptée par Jean Goujon, un des chefs-d'œuvre de la Renaissance. Elle fut édifiée en 1550 en forme d'édicule carré, dont chaque face s'ouvrait en arcades classiques aux nombreux bas-reliefs représentant des nymphes, des génies marins, des tritons, des victoires. A l'origine, la fontaine se trouvait à l'angle de la rue St Denis et de la rue Berger et ainsi, étant adossée à un mur, ne montrait que trois faces. La quatrième fut sculptée par Pajou et fut ajoutée en 1788 lorsque la fontaine fut transportée au milieu de la place.

LE TEMPLE DE L'ORATOIRE — Son entrée principale se trouve rue de l'Oratoire, tandis que la belle partie absidale donne rue de Rivoli (on y érigea au siècle dernier une statue de l'amiral de Coligny, chef des protestants tué là dans la nuit du 24 août 1572, durant le massacre de la St Barthélemy). Au XVIe siècle se trouvait ici l'Hôtel de Gabrielle d'Estrées maîtresse d'Henri IV. En 1616 s'y installa la congrégation des Oratoriens, qui firent édifier la chapelle par Lemercier. Le Temple fut supprimé pendant la Révolution et la Chapelle devint un magasin militaire, enfin en 1811 elle fut cédée au culte réformé.

Vue du quartier des Halles: au fond, l'église Saint-Eustache.

LES HALLES — Cet énorme ensemble, dont la partie couverte à elle seule occupait 4 hectares, est désormais complètement démoli (malgré l'opposition des artistes et des intellectuels), afin de céder la place, selon les projets du gouvernement, soit à un espace vert avec parc à voitures souterrain, soit à un grand centre culturel. Le marché de denrées alimentaires des Halles naquit ici vers 1110 et fut agrandi par Philippe-Auguste en 1183. Au XVIe siècle déjà, le marché devait pourvoir à l'approvisionnement de près de 300.000 habitants. Au XIXe siècle, il fut complètement rénové: c'est l'architecte Baltard qui s'en chargea à partir de 1854, construisant 10 pavillons en fer, fonte et acier (2 autres s'y ajoutèrent en 1936). Le rythme impressionnant du commerce, les couleurs, la vie tumultueuse qui s'y déroulait dictèrent à Emile Zola cette définition exacte des Halles: le « ventre de Paris ». Les restaurants typiques qui s'y trouvent (simples, mais aux noms originaux comme le Pied de Cochon, le Chien qui fume) offrent leurs spécialités: pied de porc grillé, soupe à l'oignon (gratinée), escargots.

SAINT-EUSTACHE

Considérée comme la plus belle église de Paris après Notre-Dame, St-Eustache s'élève au bord des Halles. Sa construction fut particulièrement lente. La première pierre fut posée en 1532, mais l'église ne fut vraiment terminée qu'en 1637. Construite d'après un projet de Lemercier, elle combine de façon originale une structure gothique avec une décoration Renaissance. On peut suivre aisément la transition des styles surtout sur les côtés et dans l'abside, caractérisés par trois séries de fenêtres, de hauts piliers et de grands arcs rampants, tandis que les rosaces sont typiquement Renaissance.

Intérieur. Il est très imposant: près de 100 m de long, 44 de large et 33 de haut. Cinq nefs, transept et chœur. Dans la

Saint-Nicolas des Champs.

126

nef centrale, les arcades Renaissance en plein cintre sont flanquées de piliers polystyles; par contre, les voûtes de la nef, du chœur et du transept sont en gothique flamboyant. Un grand orgue (construit en 1844) se trouve au-dessus de l'entrée: on donne d'excellents concerts dans l'église. Dans une des chapelles du chœur se trouve le *tombeau* du célèbre ministre des Finances de Louis XIV, Colbert: le sépulcre fut dessiné par Le Brun, Coysevox sculpta la statue de Colbert et celle de l'Abondance, et Tuby celle de la Fidélité. Des œuvres de Rubens, de ·Luca Giordano et du siennois Manetti se trouvent dans les autres chapelles.

LA RUE TURBIGO — C'est la rue qui mène des Halles à la République. Près d'ici, après avoir traversé la rue Étienne-Marcel, nous trouvons la **Tour de Jean-sans-Peur,** maintenant incorporée à un édifice scolaire (20, rue Étienne-Marcel). De forme quadrangulaire, couronnée de mâchicoulis (d'où l'on jetait de l'huile bouillante) elle fut érigée en 1408 par Jean-sans-Peur à la suite de l'assassinat du duc d'Orléans, qu'il avait lui-même ordonné.

LA RUE ST-DENIS — Percée au VIIe siècle elle devint très vite la rue la plus riche de Paris. C'était en effet la rue que parcouraient les souverains lorsqu'ils faisaient leur entrée solennelle dans la ville et se rendaient à Notre-Dame; c'était aussi celle qu'ils parcouraient de nouveau, une fois morts, pour être enterrés à St-Denis.

SAINT-LEU - SAINT-GILLES — Au 92 de la rue St-Denis. L'église est dédiée à deux saints du VIe siècle: Leu, évêque de Sens, et Gilles, un ermite provençal. La construction de l'église remonte à 1320, mais elle a subi des restaurations et des remaniements. Deux tours à flèche enserrent la façade: le campanile de celle de gauche fut ajouté en 1858.

Intérieur. Riche en œuvres d'art. Sa voûte est de style gothique, tandis que le chœur est de style classique. Une de ses belles clés de voûte porte un groupe de marbre représentant *la Vierge avec Ste Anne;* à l'entrée de la sacristie, plusieurs bas-reliefs provenant du cimetière des Innocents.

CRED

SAINT-NICOLAS DES CHAMPS

Elle s'élève rue St-Martin, qui coupe elle aussi la rue Turbigo. Dédiée à St Nicolas, un évêque provenant d'Asie Mineure au IVe siècle, elle fut construite au XVe puis agrandie au cours des deux siècles suivants. La façade et le campanile, en beau gothique flamboyant, ont été restaurés. Sur le flanc droit s'ouvre un beau **portail** Renaissance (1581), dont les formes gracieuses sont peut-être imitées de celles d'une porte de l'Hôtel des Tournelles. L'abside, aux grandes fenêtres, est de ligne Renaissance.

Intérieur. Elle a une grande nef et des doubles collatéraux, séparés entre eux par une double ligne de piliers. Le chœur et les chapelles latérales renferment de nombreuses œuvres d'art: peintures de l'école française du XVIIe au XIXe. Sur le maître-autel, une œuvre de Simon Vouet représentant l'*Assomption de la Vierge;* dans la chapelle de la Vierge, une *Adoration des Bergers* de Coypel. Dans l'église, les tombeaux de nombreux personnages: le poète Théophile de Viau, l'astronome Gassendi, l'humaniste Guillaume Budé.

Sortis de l'église, au n. 3 de la rue Volta nous trouvons la **plus vieille maison** de Paris, qui remonte au XIIIe ou XIVe siècle.

LE CONSERVATOIRE DES ARTS ET MÉTIERS

Au n. 292 de la rue St-Martin. Cet endroit était autrefois le siège de l'Abbaye de St-Martin-des-Champs, érigée en 1061, reconstruite au XIIe siècle et de nouveau au XVe. Le Conservatoire, créé en 1794, s'y installa en 1799. De l'ancienne Abbaye il reste aujourd'hui le réfectoire et le chœur, tandis que le Conservatoire comprend une école et un musée. On entre dans la cour d'honneur: à droite se trouve le **réfectoire** de l'ancien couvent, aujourd'hui bibliothèque. Le réfectoire, du XIIIe, est le chef-d'œuvre de Pierre de Montreuil. L'intérieur est admirablement divisé en deux nefs par sept élégantes colonnettes élancées. Ce vaisseau, de vaste dimension (43 m sur 12) est de très pure ligne gothique. Les hautes fenêtres géminées, les voûtes en ogive, les proportions parfaites, font de cette salle un véritable joyau. Au milieu du côté droit s'ouvre une porte dont la face externe présente de merveilleuses sculptures. De la cour d'honneur on emprunte un escalier pour arriver au **Musée,** dont les curieuses machines ou leurs maquettes expliquent le lent cheminement de la technique et de l'industrie.

REZ-DE-CHAUSSÉE

Dans la **salle 2** sont rassemblés les principaux appareils et les objets personnels du grand chimiste Lavoisier; de la **salle 4 à la salle 9**: métallurgie et sidérurgie avec la présentation des techniques, de l'extraction aux hauts fourneaux, etc.; la **salle 10** est constituée par la nef du XIIIe de l'église St-Martin-des-Champs, dont la façade est visible au-delà du réfectoire, tandis que l'abside est au-delà de la rue Réaumur): le chœur (construit entre 1130 et 1140) montre nettement, dans sa voûte d'arête et dans sa voûte d'ogives, le passage du roman au gothique. Dans la salle sont exposés: divers moyens de locomotion, des premières bicyclettes aux premières automobiles, du premier scooter à l'appareil avec lequel Blériot survola la Manche. A la voûte du chœur est accroché le pendule avec lequel Léon Foucault expérimenta la rotation terrestre; **salle 11,** qui montre l'introduction de la machine dans l'agriculture; **salle 13,** avec les instruments de géodésie et de topographie; **salle 15,** avec les automates anciens, parmi lesquels la fameuse *Joueuse de tympanon*, de 1784, ayant appartenu à Marie-Antoinette: c'est un petit robot qui représente une musicienne exécutant au tympanon des airs de Gluck, et qui était la distraction préférée de la reine; de la **salle 16 à la salle 20,** instruments d'astronomie et d'horlogerie; **salle 21,** chemins de fer.

PREMIER ÉTAGE

Salle 23: deux modèles de la machine arithmétique de Pascal; **salle 24:** turbines, chaudières...; **salles 26** et **27:** verrerie; de la **salle 30** à la **salle 34:** instruments d'optique, d'acoustique et de mécanique; **salles 35** à **40:** elles sont consacrées au radar, à la télévision, aux communications par satellite, au phonographe et à la photographie, au laser (on y voit aussi le premier projecteur des frères Lumière); **salle 46:** arts graphiques (machines d'imprimerie, machines à écrire), et techniques de la vie quotidienne (des ascenseurs aux divers types de chauffage): **salles 47** à **49:** filature et tissage.

LE SQUARE DU TEMPLE — Ici s'élevait autrefois un ensemble d'édifices qui étaient le siège de l'ordre religieux et militaire des Templiers. L'Ordre des Templiers, fondé en 1118 en Terre Sainte et installé à Paris en 1140, eut un développement prodigieux. Indépendants de la Couronne, propriétaires de tout le quartier du Marais et très puissants financiers, les Chevaliers du Temple créèrent en peu de temps un véritable état dans l'État. Le 13 octobre 1307, Philippe-le-Bel fit emprisonner tous les Templiers de France et, en 1314, fit brûler vif le Grand-Maître Jacques de Molay et plusieurs chevaliers. L'Ordre ainsi supprimé, les édifices du Temple passèrent aux Hospitaliers de St-Jean-de-Jérusalem (ancien nom des Chevaliers de Malte). Ces derniers ayant été chassés aussi par la Révolution, le Temple devint la prison de la famille royale. Le 13 août 1792 en effet, Louis XVI, Marie-Antoinette, leurs deux enfants et la sœur du roi furent enfermés dans la Tour du Temple, haute de 45 m, avec des murs de 3 m d'épaisseur. Après l'exécution de la famille royale, afin d'éviter que l'endroit ne devienne un but de pèlerinage pour les monarchistes, on décida, en 1808, de démolir la Tour. Ensuite, l'enceinte se transforma petit à petit en marché en plein air, surtout d'objets d'occasion (dit le **Carreau du Temple**). En 1857, la place fut modifiée par Haussmann telle que nous la connaissons et on créa un marché couvert.

PLACE DE LA RÉPUBLIQUE — Aménagée en 1854 par Haussmann, la place est aujourd'hui agitée par un trafic intense. Au centre se dresse le **Monument de la République** de Morice (1883). Le socle est orné d'importants bas-reliefs de bronze représentant les grands faits de l'histoire de la République.

10ème itinéraire

DE LA PLACE DE LA RÉPUBLIQUE *(Métro: lignes 3, 5, 8, 9, 11 – Station République)* **À LA PLACE DU TERTRE.**

Boulevard St-Martin • **Porte St-Martin** • **Porte St-Denis** • N.-D. de Bonne-Nouvelle • Boulevard Montmartre • Musée Grévin • Boulevard des Italiens • Opéra-Comique • Rue Lafayette • Boulevard Haussmann • **Chapelle Expiatoire** • Place St-Augustin • Église St-Augustin • Musée Jacquemart-André • Cathédrale St-Alexandre Newsky • Parc Monceau • Musée Cernuschi • Musée Nissim de Camondo • Musée du Conservatoire de Musique • Place de Clichy • **Montmartre** • Cimetière • Place Blanche • Moulin-Rouge • Place Pigalle • St-Jean de Montmartre • Rue Lepic • Moulin de la Galette • **Sacré-Cœur** • St-Pierre de Montmartre • **Place du Tertre** • « Au lapin agile ».

LES GRANDS BOULEVARDS

Il s'étendent sur plus de 4 km, formant un vaste arc de cercle de la place de la Bastille à la Madeleine. Ils furent aménagés au siècle dernier par Haussmann sur le tracé de la vieille enceinte de Charles V qui allait de la Bastille à la porte St-Denis, et des bastions de Charles IX et de Louis XIII, qui allaient de la porte St-Denis à la Madeleine, et qui furent démolis à la fin du XVIIe siècle. Ils eurent une grande importance, durant tout le XIXe siècle et jusqu'au début du XXe, lorsqu'une foule élégante se répandait dans les luxueux cafés, les boutiques, les théâtres, qui bordaient, nombreux, les larges voies. Aujourd'hui, c'est surtout le caractère populaire et bruyant qui domine.

BOULEVARD ST-MARTIN — Il part de la place de la République pour arriver à la porte St-Martin. Il est caractérisé par la présence de nombreux cinémas et théâtres, parmi lesquels le **Théâtre de la Renaissance** (1872) et, contigu à ce dernier le **Théâtre de la Porte St Martin** (1871). Ce dernier est demeuré célèbre parce que c'est là que triomphaient la grande Sarah Bernhardt, et Coquelin dans le rôle de Cyrano (1897).

PORTE ST-MARTIN

C'est un arc de triomphe de 17 m de haut, érigé par Bullet en 1674 pour commémorer la prise de Besançon et la défaite des armées espagnoles, hollandaises et allemandes. A trois arcades, il comporte de nombreux bas-reliefs, sculptés par Le Hongre, Desjardins, Legros et Marsy, qui y représentèrent la *prise de Besançon* et la *rupture de la Triple Alliance* sur une face, et la *prise de Limbourg* et la *défaite allemande* sur l'autre.

PORTE ST-DENIS

Comme la précédente, cette porte est en forme d'arc de triomphe, à une seule arcade, et est aussi haute que large (24 m). Érigée en 1672 d'après un projet de Blondel, avec des sculptures des frères Anguier, elle veut célébrer les vic-

La Porte Saint-Martin.

La Porte Saint-Denis

toires de Louis XIV en Allemagne, lorsqu'en moins de deux mois le souverain français réussit à conquérir 40 places fortes, Les bas-reliefs allégoriques représentent la Hollande et le Rhin sont très beaux.

Le large boulevard continue ensuite par le **boulevard de Bonne-Nouvelle.** Par un escalier qui descend sur la gauche, on arrive à l'**église Notre-Dame de Bonne-Nouvelle,** dont le campanile est tout ce qui reste d'un sanctuaire qu'avait fait construire Anne d'Autriche. A l'intérieur, outre une belle *statue de la Vierge* (XVIIe siècle), se trouvent deux peintures originales sur bois du XIIe siècle, attribuées à Mignard: *St François de Sales, Henriette d'Angleterre et ses trois enfants* et *Anne d'Autriche et Henriette d'Angleterre.*

Après le **boulevard Poissonnière,** nous trouvons le **boulevard Montmartre,** un des plus encombrés, qui va de la rue Montmartre au boulevard des Italiens. Ici, au n. 10, se trouve le **Musée Grévin,** fondé en 1882 par le caricaturiste Grévin: véritable temple de la magie, le musée renferme les effigies en cire des personnages les plus célèbres de l'histoire ancienne et contemporaine, ainsi que des scènes fameuses. Près du musée, au n. 7, le **Théâtre des Variétés,** de 1807, règne du vaudeville et de l'opérette: on y représentait de nombreux ouvrages d'Offenbach, de Tristan Bernard, de Sacha Guitry....

BOULEVARD DES ITALIENS – Avec la période du Directoire commença la grande splendeur de ce boulevard, splendeur qui dura pendant tout le Second Empire. De grands financiers, des journalistes célèbres et d'illustres hommes de lettres fréquentaient le Café Anglais, le Café Tortoni, le Café Riche (ce dernier, malheureusement disparu: au n. 16 se trouve à sa place la Banque Nationale de Paris).

L'OPÉRA-COMIQUE – Situé au bout du boulevard, sur la place Boïeldieu, reconstruit par Bernier en 1898, après deux incendies. Dans le passé on y donnait surtout des « opéras-comiques » du répertoire italien: Mascagni, Rossini, Leoncavallo.... On l'appelle aussi « Salle Favart ».

RUE LAFAYETTE – Elle part du boulevard Haussmann, à l'angle où se trouvent les Galeries Lafayette (un des plus importants des Grands Magasins de la ville). C'est à son croisement avec la rue Le Peletier que se produisit l'attentat d'Orsini contre Napoléon III, le 14 janvier 1858.

BOULEVARD HAUSSMANN – Le boulevard porte le nom de celui qui rénova en grande partie la structure de la ville, le baron G. E. Haussmann, préfet de la Seine de 1853 à 1870. Cette large voie, commencée en 1857, fut terminée en 1926. Au n. 26 se trouve la maison où habita Marcel Proust de 1906 à 1919.

LA CHAPELLE EXPIATOIRE

Elle se trouve dans le square Louis XVI, enfouie dans la verdure d'un paisible jardin. Ici, en 1722, existait un petit cimetière. On y ensevelit les Suisses tombés aux Tuileries le 10 août 1792 et les victimes de la guillotine (plus de 1343), parmi lesquelles Louis XVI et Marie-Antoinette, dont les corps furent par la suite transportés à St-Denis, le 21 janvier 1815. C'est Louis XVIII qui fit construire la chapelle par Fontaine, entre 1815 et 1826. Elle est précédée d'un cloître et d'un petit jardin: à droite les tombes de Charlotte Corday et de Philippe-Égalité. A l'intérieur de la chapelle deux groupes en marbre. L'un, œuvre de Bosio (1826), représente *Louis XVI* et l'autre, de Cortot (1836) représente *Marie-Antoinette soutenue par la Religion,* qui a le visage de la sœur du roi, Élisabeth.

Boulevard des Italiens.

Boulevard des Capucines.

PLACE ST-AUGUSTIN — Elle s'ouvre au croisement du boulevard Haussmann avec le boulevard Malesherbes. Elle est dominée par l'imposante masse de l'**église St-Augustin**, construite par Balthard entre 1860 et 1871, dans un style curieux entre byzantin et Renaissance. Ici fut employée pour la première fois dans une église une armature métallique.

MUSÉE JACQUEMART-ANDRÉ — Il se trouve au n. 158 du boulevard Haussmann, dans un élégant palais de la fin du XIXe siècle, que la propriétaire, Madame Nélie Jacquemart-André légua en 1912 à l'Institut de France. Dans le musée sont rassemblées de nombreuses collections du XVIIIe siècle européen et de la Renaissance italienne. Au rez-de-chaussée, peintures et dessins de Boucher, Chardin, Watteau, et sculptures de Houdon et de Pigalle, qui illustrent bien l'époque de Louis XV, tandis que le XVIIe et le XVIIIe siècles européens sont magnifiquement représentés par Canaletto, Murillo, Rembrandt, etc. Parmi les Italiens, de Botticelli aux terres-cuites de Della Robbia, des sculptures de Donatello aux grandes toiles de Tintoret et de Paolo Uccello.

CATHÉDRALE ST ALEXANDRE NEWSKY — C'est l'église orthodoxe russe la plus importante de Paris. Elle se trouve au n. 12 de la rue Daru et fut érigée en 1860 dans le style néo-byzantin des églises moscovites. L'intérieur est richement décoré de stucs dorés, d'icônes et de fresques.

LE PARC MONCEAU — Ce splendide jardin, centre d'un quartier très particulier et très élégant a son entrée principale sur le boulevard de Courcelles. Il fut dessiné par le peintre Carmontelle pour le duc d'Orléans, en 1778. Le 22 octobre 1797 y atterrit Garnerin, premier parachutiste du monde. En 1852, le financier Péreire fit construire deux splendides hôtels dans le parc, puis l'ingénieur Alphand fit d'une partie du parc un jardin public à l'anglaise: ruines, temples, petit lac, rochers artificiels. A l'entrée, le Pavillon de Chartres, une rotonde à colonnade œuvre de Ledoux, et encore la **Naumachie**, bassin ovale entouré d'une colonnade, provenant d'un mausolée d'Henri II à St-Denis, qui ne fut jamais terminé. Tout près, une arcade de style Renaissance ayant fait partie de l'ancien Hôtel de Ville.

MUSÉE CERNUSCHI — Entrée au n. 7 de l'avenue Velasquez. C'était la demeure du banquier Cernuschi, lequel la légua par testament à la Ville de Paris en 1896, ainsi que les œuvres d'art orientales qu'il avait collectionnées. Nombreuses terres-cuites de l'époque néolithique, ainsi que des bronzes et des jades. A noter une magnifique statue représentant un *Bodhisattva assis*, en pierre, du Ve siècle, et plusieurs peintures anciennes parmi lesquelles les *Chevaux et palefreniers*, véritable chef-d'œuvre de l'époque Tang (VIIIe siècle), peint sur soie.

MUSÉE NISSIM DE CAMONDO — Ce musée, au n. 63 de la rue de Monceau, se trouve dans la demeure du comte de Camondo qui, en 1936 fit don de l'Hôtel et de ses collection du XVIIIe aux Arts Décoratifs en souvenir de son fils Nissim tué à la guerre. Ce musée raffiné est un superbe exemple de ce que pouvait être une élégante demeure de l'époque de Louis XVI. On y voit rassemblés des meubles signés, des pièces d'orfèvrerie et d'argenterie, de magnifiques services de table, des toiles de Guardi, de Jongkind, de Vigée-Lebrun, etc.

MUSÉE DU CONSERVATOIRE DE MUSIQUE — Il se trouve au n. 14 de la rue de Madrid, annexe au Conservatoire de Musique. Le musée rassemble environ 2.000 instruments de musique tous aussi beaux et importants les uns que les autres: violons de Stradivarius, harpe ayant appartenu à Marie-Antoinette, piano sur lequel Rouget de Lisle joua la Marseillaise, clavecin de Beethoven. A l'étage supérieur, une Bibliothèque renferme de précieuses partitions, parmi lesquelles celle du « Don Juan » de Mozart.

PLACE DE CLICHY — Cette place toujours pleine de monde et de voitures fut le théâtre, en mars 1814, de furieux combats entre les troupes russes (qui avec leurs alliés étaient entrées dans Paris et bivouaquaient sur les Champs-Élysées) et le maréchal Moncey, auquel par la suite on éleva un monument qui se dresse au centre de la place. De là part le boulevard de Clichy, auquel fait suite le boulevard Rochechouart, qui contourne en partie la colline de Montmartre.

Panorama de la colline de Montmartre vu de Notre-Dame.

MONTMARTRE

Montmartre a été et est toujours aujourd'hui un des quartiers les plus pittoresques de la ville. Il se dresse sur une colline calcaire de 130 m d'altitude où, dit la légende, vers l'an 250 fut décapité Saint Denis, premier évêque de Paris, en même temps que ses compagnons Éleuthère et Rustique. Par sa position stratégique, d'où l'on domine tout Paris, Montmartre a joué un rôle important dans l'histoire politique de la ville. C'est de là, en effet, que jaillit cette étincelle qui allait mener à la Commune. Puis, pendant tout le XIXe siècle, Montmartre devint le pôle d'attraction pour tous les artistes bohèmes et conserva pendant longtemps la suprématie littéraire et artistique de toute la ville.

CIMETIÈRE DE MONTMARTRE – L'entrée se trouve au bout de la petite avenue Rachel. Créé en 1795 il renferme les tombes de nombreux personnages célèbres: des peintres comme Fragonard, Degas et Chassériau; des écrivains comme Théophile Gautier, Edmond et Jules de Goncourt, Stendhal, Emile Zola, Alexandre Dumas fils, Henri Heine; des musiciens: Hector Berlioz, J. Offenbach; des auteurs dramatiques comme Labiche, Giraudoux; des acteurs de théâtre comme Sacha Guitry et Louis Jouvet, le célèbre danseur russe Nijinsky, et la célèbre Alphonsine Plessis, plus connue sous le nom de « la Dame aux camélias ».

Le Moulin-Rouge.

PLACE BLANCHE — Au pied de la colline de Montmartre, elle doit son nom aux traces des voitures chargées de plâtre qui autrefois venaient des carrières voisines. Elle nous apparaît dominée par les longues ailes du **Moulin-Rouge,** fondé en 1889, qui connut l'art de Jane Avril, de Valentin le Désossé, de la Goulue, et qui vit naître le « cancan », immortalisé par les toiles de Toulouse-Lautrec.

De là, en continuant par le boulevard de Clichy, bordé de très nombreux cinémas modernes et de brasseries, on rejoint la **place Pigalle,** très animée, surtout le soir, lorsque ses établissements de nuit se mettent brusquement à briller de tous leurs feux. Le **boulevard Rochechouart** lui-même, qui part de là, est rempli de lieux de plaisir: le dancing de la Boule-Noire au n. 118, ou la Taverne Bavaroise en face. Au n. 84 fut fondé en 1881 le fameux cabaret du **Chat-Noir,** si souvent chanté par Aristide Bruant.

ST-JEAN DE MONTMARTRE — L'église se trouve en face du square Jehan-Rictus: elle fut terminée en 1904 par de Baudot et est intéressante parce qu'elle est la première église de Paris construite en ciment armé; à cause de son revêtement externe de briques, les gens du quartier l'appellent St-Jean des Briques.

LE BATEAU-LAVOIR — En suivant la rue Ravignan, on arrive à une petite place, la place Emile-Goudeau. C'est ici que se trouvait le Bateau-Lavoir, petite bâtisse en bois malheureusement détruite par un incendie en 1970, qui vit naître (vers 1900), la peinture et la poésie modernes. Ici, en effet, travaillèrent Picasso, Braque, Juan Gris (Picasso y peignit les *Demoiselles d'Avignon*, qui marquèrent la naissance du cubisme); et tandis que ceux-ci bouleversaient les canons de la peinture traditionnelle, Max Jacob et Apollinaire en faisaient de même avec la poésie.

RUE LEPIC — Elle part de la place Blanche et monte en serpentant vers le sommet de la colline. En automne, le long de ses virages raides se déroule une course de vieilles voitures. Au n. 54 habita Vincent Van Gogh, avec son frère Théo. Tout près (en face du n. 100), se trouve le célèbre **Moulin de la Galette,** le dernier des moulins à vent existant, qui remonte au XVIIe siècle et inspira Renoir et Van Gogh.

Une vision nocturne de Pigalle.

LE SACRÉ-CŒUR

Il se dresse, majestueux, au sommet de la « butte » Montmartre. Erigée en 1876 par souscription nationale, l'église fut consacrée en 1919. Les architectes auteurs du projet (parmi lesquels Abadie et Magne), la construisirent dans un curieux style mi-roman mi-byzantin. En effet, les quatre petites coupoles et la grande, posée sur son haut tambour, sont typiquement byzantines. En retrait, le campanile carré (haut de 84 m) renferme la **« Savoyarde »,** une cloche de 19 tonnes, une des plus grosses du monde. Par un majestueux escalier on arrive devant la façade de l'église, précédée d'un portique à trois arcades: au-dessus, les *statues équestres du roi Saint Louis et de Jeanne d'Arc.*

Intérieur. Il est très vaste et ses éléments décoratifs, ses peintures et ses mosaïques sont d'une magnificence sans égale. De là on peut descendre dans la crypte ou monter au sommet de la coupole, d'où l'on peut admirer le panorama le plus splendide de Paris et de ses environs.

Pour admirer la blanche masse de l'église sous un angle encore plus suggestif, on peut descendre, soit par le funicu-

Les coupoles du **Sacré-Cœur** vues de la **Place du Tertre:** au fond, à gauche, on entrevoit la façade de la petite église **Saint-Pierre de Montmartre.**

laire soit par les escaliers, à pied, jusqu'à la place St-Pierre située au pied de la Butte.

ST-PIERRE DE MONTMARTRE — C'est tout ce qui reste de l'abbaye des Bénédictines de Montmartre, commencée vers 1134 et terminée à la fin du XIIe siècle. La façade a subi une restauration presque complète au XVIIIe siècle.

Intérieur. A l'intérieur de l'église, quatre colonnes provenant d'un temple romain qui s'élevait là précédemment. L'église comporte trois nefs à piliers, un transept et trois absides. Dans le bas-côté de gauche, la *tombe de Marie-Adélaïde de Savoie*, épouse de Louis VI le Gros et fondatrice de l'abbaye.

Le cabaret du « Lapin agile ».

La Place du Tertre.

LA PLACE DU TERTRE

Cette ancienne place de village, aujourd'hui ombragée de verdure, est le cœur de Montmartre, par la couleur et la gaité qui l'animent et la font vivre. Avec ses peintres et sa foule cosmopolite, c'est surtout la nuit qu'elle vit ses heures magiques, lorsque les « boîtes » caractéristiques qui l'entourent se remplissent de gens et de lumières. De jour, le centre de la place est rempli d'artistes qui travaillent peu pour eux-mêmes mais beaucoup pour le touriste.

« AU LAPIN AGILE » — En descendant par la rue Norvins, nous arrivons à la charmante rue des Saules avec sa pente raide. Tout près d'ici habitèrent des représentants célèbres du monde de la peinture parisienne, parmi lesquels Suzanne Valadon et Utrillo. A l'angle de la rue St Vincent, a demi caché par un acacia, se trouve le rustique cabaret « Au Lapin agile », appelé ainsi en raison de son enseigne peinte par le peintre Gill, mais qui s'appelait à l'origine le « Cabaret des Assassins ». Il fut très fréquenté, de 1908 à 1914, par des peintres et des poètes très démunis, mais qui parvinrent très vite à la gloire; de nos jours s'y tiennent d'intéressantes soirées littéraires.

11ème itinéraire

DU CIMETIÈRE DU PÈRE-LACHAISE *(Métro: lignes 2 et 3 —
Station Père-Lachaise)* **À VINCENNES.**

Cimetière du Père-Lachaise · Place de la Nation · **Vincennes.**

LE CIMETIÈRE DU PÈRE-LACHAISE

C'est le plus étendu des cimetières parisiens et aussi le plus
important par le nombre de tombes de personnages illustres
enfermées dans son paisible enclos de verdure. Il occupe
une petite hauteur de 47 hectares environ de superficie:
c'était à l'origine une propriété achetée en 1626 par les Jésuites, qui y construisirent une maison de repos pour l'Ordre.
Son nom actuel lui vient du confesseur de Louis XIV, le père
La Chaise, qui y séjourna souvent. En 1763 les Jésuites

CIMETIÈRE DU PÈRE-LACHAISE: **la tombe de Frédéric Chopin.**

La place de la Nation avec le groupe en bronze du Triomphe de la République.

furent expulsés, la propriété achetée par la Ville, et en 1803 Napoléon la fit transformer en cimetière. Ici se déroula aussi le dernier et féroce épisode de la Commune, lorsque le 28 mai 1871 les 147 derniers défenseurs de la Commune (qui s'étaient retranchés dans le cimetière le jour d'avant) furent fusillés devant le mur d'enceinte *(Mur des Fédérés)*. La visite de ses tombes est devenue une sorte de pèlerinage historique à travers la peinture, la poésie, la philosophie. Ici, en effet, se trouvent les tombes d'écrivains: *Musset, Molière, La Fontaine, Alphonse Daudet,* la famille *Hugo, Beaumarchais, Paul Éluard, Oscar Wilde, Marcel Proust, Guillaume Apollinaire, Balzac;* de musiciens: *Chopin* (son cœur est à Varsovie), *Bizet, Dukas, Cherubini;* de peintres: *Géricault, David, Corot, Modigliani, Delacroix, de Nittis, Ingres, Daumier, Seurat;* de philosophes et de savants: *Arago, Auguste Comte, Gay-Lussac, Allan Kardec* (le fondateur du spiritisme), *Héloïse et Abélard;* des militaires et des politiciens: *Masséna, Ney, Blanqui, Lecomte, Murat et Caroline Bonaparte;* des acteurs de théâtre et des chanteurs: *Edith Piaf, Isadora Duncan, Sarah Bernhardt, Adelina Patti.*

LA PLACE DE LA NATION — C'est l'ancienne place du Trône, qu'on appelait ainsi à cause du trône monumental qu'on y érigea le 26 août 1660 pour accueillir Louis XIV et son épouse, la jeune Marie-Thérèse, à leur entrée dans Paris. Durant la Révolution le trône fut abattu et on y dressa la guillotine: la place devint ainsi la place du Trône-Renversé. Elle prit son nom actuel en 1880, lorsqu'y fut célébré le premier 14 juillet, fête nationale. De nos jours,

143

au milieu de la place entourée de parterres se trouve un bassin avec un *groupe en bronze du Triomphe de la République,* de Dalou; destiné à la place de la République il fut placé ici en 1899. L'avenue du Trône, qui part de là, est encadrée de deux colonnes érigées par Ledoux, surmontées par les *statues de Philippe-Auguste et de Saint Louis.* Le prolongement de cette avenue, le cours de Vincennes, nous mène directement à Vincennes, la grande ville de banlieue avec son magnifique bois et son splendide château.

VINCENNES

LE CHATEAU — On l'a appelé le « Versailles du Moyen-Age » et son histoire est étroitement liée à l'histoire de la France. La forêt de Vincennes fut achetée par la Couronne au XIe siècle, et Philippe-Auguste y fit construire un manoir auquel Louis IX (St Louis) fit ajouter la chapelle. La forteresse, œuvre des Valois, fut commencée par Philippe VI en 1334 et terminée sous Charles V en 1370: durant cette période furent construits le **donjon,** une partie de la chapelle et les murs d'enceinte. En 1654, Mazarin (qui était devenu gouverneur de Vincennes deux ans auparavant) chargea Le Vau de construire les deux pavillons symétriques du Roi et de la Reine. Au début du XVIe siècle (jusqu'en 1784), le roi préféra Versailles à Vincennes et le donjon (où d'abord il habitait) devint prison d'État. En 1738 il se transforma en fabrique de porcelaine (transportée à Sèvres en 1756), puis Napoléon Ier en fit un important arsenal: en 1814, avec pour gouverneur le général Daumesnil, il oppose une héroïque résistance aux Alliés. Il fut quelque peu modifié sous Louis-Philippe, qui en fit un bastion pour la défense de la ville: sa restauration commença sous Napoléon III, qui en confia la tâche à Viollet-le-Duc. Malheureusement, le 24 août 1944, le château subit de graves dommages: les Allemands firent sauter une partie des fortifications et incendièrent les pavillons du Roi et de la Reine.

Le **Château** a la forme d'un grand rectangle entouré d'un profond fossé et de murs puissants, dont les tours sont aujourd'hui tronquées. La tour de l'entrée, la **Tour du Village,** est la seule, avec le donjon, qui ne soit pas décapitée: elle a 42 m de haut, et même si elle a perdu une partie des statues qui la décoraient en façade, elle présente encore des restes de décorations gothiques au-dessus de la porte.

Sur le côté ouest s'élève le magnifique **donjon** qui, dans ses lignes puissantes mais élégantes, résume tout l'art militaire du XIVe siècle. Il a 52 m de haut et est garni aux quatre angles de tourelles. Il est entouré lui aussi d'une « chemise » (enceinte particulière) et d'un fossé: un chemin de ronde couvert couronne l'enceinte.

Le côté du château opposé à celui de l'entrée, c'est-à-dire le côté sud, présente une tour au centre, la **Tour du Bois,** abaissée par Le Vau et transformée en entrée d'honneur. Dans le fossé à droite, au pied de la Tour de la Reine, une colonne indique l'endroit où, le 20 mars 1804, fut exécuté le duc d'Enghien (prince de Condé), accusé de complot contre le Premier Consul. Le dernier côté présente cinq tours, toutes décapitées. On entre dans la vaste cour par la **Tour du Village**. Au fond à gauche se trouve la Chapelle.

LA CHAPELLE — Elle fut commencée sous Charles V en 1387 et terminée sous Henri II vers 1522. Érigée en style gothique flamboyant, sa façade est percée de grandes roses de pierre et de délicats ajours. Malheureusement, la flèche a disparu.

Intérieur. Une seule nef, éclairée par les grandes fenêtres à la base desquelles court une élégante frise. Les vitraux, très restaurés, sont du milieu du XVIe siècle et représentent des *scènes de l'Apocalypse*. Dans le chœur, dans une chapelle, le *tombeau du duc d'Enghien.*

En face de la Chapelle s'élève le **donjon** qui, depuis 1934 a été aménagé en musée historique. Aux trois étages dont il se compose, les souvenirs des rois et des personnages qui l'habitèrent. Les étages ont la même disposition: ils se composent d'une vaste salle voûtée avec un pilier au centre et de quatre petites pièces aux angles, d'abord destinées à l'usage privé puis transformées en cellules. De la terrasse, une vue splendide sur Paris, le bois et ses alentours. Toujours dans la cour, les deux pavillons du roi et de la reine. Dans le premier, à droite, mourut Mazarin en 1661; le second est aujourd'hui le siège du Service Historique de la Marine.

LE BOIS DE VINCENNES — Le bois qui, avec ses 929 hectares d'étendue est le plus vaste de Paris, fut donné à la ville par Napoléon III afin d'être transformé en parc public. Dans sa grande étendue se trouve, dans la partie est, le **Lac des Minimes,** rendu plus pittoresque par trois petites îles; tout près d'ici, le **petit temple indochinois,** élevé en mémoire des Vietnamiens morts durant la 1ère guerre mondiale; au n. 45 de l'avenue de la Belle Gabrielle se trouve le **Jardin Tropical**; le **Parc Floral**, qui toute l'année offre des centaines et des centaines d'espèces de fleurs, et un riche **exotarium** avec ses poissons et ses serpents tropicaux.

LE ZOO — Son entrée principale se trouve avenue Daumesnil. C'est un des plus beaux zoos d'Europe et un des plus grands: il a une superficie de 17 hectares, 600 mammifères et 700 oiseaux. Un grand rocher (72 m de haut) est destiné aux chamois.

MUSÉE DES ARTS AFRICAINS ET OCÉANIENS — Entrée au n. 293 de l'avenue Daumesnil. L'édifice où se trouve le musée fut construit en 1931 pour l'Exposition Coloniale. Les diverses sections en lesquelles est divisé le musée sont consacrées à la sculpture de l'Afrique noire, à l'art indigène des colonies françaises, à l'économie et à la vie sociale des territoires africains.

12ème itinéraire

LE BOIS DE BOULOGNE

Situé à l'ouest de Paris, presque à l'opposé du Bois de Vincennes, le Bois de Boulogne avec ses pelouses, ses lacs, ses cascades, ses jardins, couvre une étendue de près de 900 hectares. Depuis l'époque mérovingienne, le Bois était une immense forêt, appelée forêt du Rouvre, du nom d'un rouvre très répandu dans sa végétation. Au XIVe siècle y fut construite une église appelée Notre-Dame de Boulogne-sur-mer, et peu à peu le nom de Boulogne remplaça celui de Rouvre. Le bois servit ensuite de refuge et d'abri aux aventuriers et aux bandits, au point qu'Henri II, en 1556, l'entoura de hauts murs avec huit portes. Il fut aménagé une première fois par Colbert: Louis XIV fit ouvrir les portes au public et le bois commença à devenir un but de promenade.

Saccagé et dévasté par les armées anglaises et russes qui y avaient installé leurs camps en 1815, le bois fut donné à la Ville en 1852 par Napoléon III, qui chargea Haussmann de le remettre en état: le bois fut ainsi transformé en un vaste parc, sur le modèle du Hyde Park de Londres, que l'empereur avait admiré. De nos jours, on y trouve des lacs **(Lac Supérieur** et **Lac Inférieur),** des cascades (la **Grande-Cascade**), des parcs (celui, splendide, de **Bagatelle,** avec ses deux petits palais, le **Château** et le **Trianon**), des musées **(Musée des Arts et Traditions populaires)** et de célèbres installations sportives **(l'Hippodrome de Longchamp,** où se court chaque année le Grand Prix et le champ de courses d'**Auteuil).**

LE MUSÉE MARMOTTAN — Il se trouve à l'extrémité du Bois de Boulogne, son entrée est au n. 2 de la rue Louis-Boilly. Il renferme d'intéressantes collections de la Renaissance, du Consulat et du Premier Empire. Parmi les nombreuses œuvres conservées dans le musée, on note le célèbre tableau de Monet *Impression: soleil levant,* de 1872, qui donna son nom au mouvement impressionniste.

Le Marché aux Puces, le caractéristique bric-à-brac qui se tient sur la gauche de l'Avenue de la Porte-de-Clignancourt.

VERSAILLES

SON HISTOIRE — Situé au sud-ouest de Paris, dont il est distant de 20 km environ, au temps de Louis XIII Versailles n'était qu'un modeste rendez-vous de chasse, construit en 1624 et constitué par un simple édifice carré avec au centre l'actuelle Cour de Marbre. La création du grand Versailles est due à Louis XIV qui, à la suite des événements de la Fronde, préféra abandonner Paris et transformer le simple château de chasse de son prédécesseur en un palais digne de ce magnifique souverain qu'il voulait être. En 1668, Le Vau

L'avant-cour du palais avec la statue de Louis XIV.

doubla l'édifice primitif, lui donnant une large façade du côté qui regarde vers le parc. Les travaux de transformation du palais durèrent longtemps, sous la direction des autres architectes Hardouin-Mansart et Le Nôtre. Ce dernier s'occupa surtout de l'aménagement des grandioses jardins. Le 6 octobre 1789, la famille royale rentra à Paris dans son carrosse doré, les femmes des halles ayant marché sur Versailles en une démonstration sans précédent. Privé de sa cour princière, le château tomba dans un état d'abandon quasi total, fut saccagé à plusieurs reprises et dépouillé de nombre de ses œuvres d'art jusqu'en 1837, où Louis-Philippe le restaura et en fit un musée de l'Histoire de France. Occupé par les Allemands en 1870, il vit le couronnement de Guillaume de Prusse comme empereur d'Allemagne. En 1875 la République y fut proclamée et en 1919 on y signa avec l'Allemagne le traité de paix qui mettait fin à la 1ère guerre mondiale.

LE PALAIS — On passe la grille d'honneur (qui, sous Louis XIV, était ouverte à 5 h 1/2 le matin) et on entre dans la première cour, dite **cour des Ministres,** au fond de laquelle se trouve la statue équestre de Louis XIV (1835, Cartellier et Petiot) et qui est délimitée par deux longs édifices appelés **ailes des Ministres;** à la seconde cour, la **cour Royale,** avaient accès les carrosses de la famille Royale: à son tour, celle-ci est délimitée à droite par l'**aile de Gabriel** ou **aile Louis XV** et à gauche par l'**aile Vieille;** la dernière cour, enfin, la **cour de Marbre,** entourée de ce qui fut le noyau du château de Louis XIII, avec les briques rouges qui alternent avec les pierres blanches. Les trois fenêtres du balcon central étaient celles de la chambre du roi; c'est de là que le 1er septembre 1715 fut annoncée la mort de Louis XIV à 8 h 15 du matin; à ce même balcon, soixante-quatre ans après, Louis XVI se montrait pour calmer le peuple qui voulait qu'il vînt à Paris.
On traverse une arcade pour passer de la cour Royale à la **façade ouest** du palais, la plus célèbre et la plus belle. Elle s'étend sur une largeur de 580 m, donnant sur les harmonieux jardins. C'est à Le Vau que l'on doit l'avant-corps central, tandis que les deux ailes placées élégamment en retrait sont de Hardouin-Mansart. Chaque élément est composé de deux ordres, l'ordre inférieur en arcades à bossage, l'ordre supérieur à pilastres, demi-colonnes adossées et hautes fenêtres. Les deux ordres sont couronnés par un attique à balustres, destiné au logement des membres de la cour, tandis que le corps de logis central et les deux ailes étaient destinés à la famille du roi et aux princes du sang.

Intérieur. De la cour Royale on accède à l'intérieur du palais par l'aile de Gabriel. Après deux vestibules, nous trouvons le **Musée d'Histoire,** dont les onze salles illustrent les époques de Louis XIII et de Louis XIV. Au fond de la première galerie, on accède par un escalier à l'**Opéra,** créé par Gabriel en 1770 pour le mariage de Louis XVI avec Marie-Antoinette: il est de forme ovale, avec de précieuses boiseries dorées sur fond bleu. On monte au 1er étage, où la **Chapelle,** construite d'après un projet de Hardouin-Mansart entre 1698 et 1710, mérite une attention particulière. Elle comporte trois nefs, des piliers carrés soutiennent les arcades surmontées d'une galerie à colonnes cannelées. De la Chapelle on passe au **Salon d'Hercule,** vestibule des **Grands Appartement du Roi,** formé de six salons ornés de stucs, de marbres polychromes, de tapisseries. Le souverain y recevait la cour trois

150   La Galerie des Glaces.

Le palais vu des jardins.

fois par semaine, de six heures à dix heures du soir. Les salons tirent leur nom des différents sujets mythologiques peints sur les plafonds: ainsi se succèdent le **Salon de l'Abondance** et celui de **Vénus**, le **Salon de Diane** (avec un *buste du Bernin représentant Louis XIV*), qui était la salle de billard; le **Salon de Mars,** qui était la salle de bal, avec une magnifique tapisserie des Gobelins qui représente l'*Entrée de Louis XIV à Dunkerque;* le **Salon de Mercure,** la

salle de jeux, où le corps de Louis XIV fut exposé pendant huit jours; le **Salon d'Apollon,** destiné à la musique, mais qui, durant le jour devenait salle du trône. Par le **Salon de la Guerre,** avec sa coupole peinte par Le Brun et un superbe médaillon de stuc de Coysevox représentant *Louis XIV à cheval,* on arrive à la célèbre **Galerie des Glaces.** Chef-d'œuvre de Hardouin-Mansart, qui la fit construire en 1678 (elle fut terminée huit ans après), elle a 75 m de long et 10 de large et sa voûte fut décorée par Le Brun de peintures illustrant les victoires françaises. Dix-sept grandes fenêtres ouvrent sur le parc, correspondant à autant de glaces aux murs opposés: au temps de Louis XIV elle était éclairée le soir par la lumière de trois mille chandelles. La Galerie était enrichie de tapisseries, de statues et de petits orangers placés dans des caisses en argent. Au bout de la Galerie des Glaces, le **Salon de la Paix,** appelé ainsi à cause du grand médaillon ovale surmontant la cheminée qui représente *Louis XV donnant la paix à l'Europe* (Lemoyne, 1729).

Contigu à la Galerie, l'**Appartement du Roi.** Il est constitué par la **Salle du Conseil,** où Louis XIV avait l'habitude de travailler avec ses ministres; la **chambre à coucher,** revêtue de boiseries blanches et or, où Louis XIV mourut, et le célèbre **Salon de l'œil-de-bœuf:** ici, matin et soir les dignitaires de la cour assistaient au lever et au coucher du roi. Le **Petit Appartement du Roi,** de style Louis XV est également très beau. Revenant dans le Salon de la Paix, on entre dans le **Grand Appartement de la Reine,** construit entre 1671 et 1680. Il se compose de la **chambre de la Reine;** du **Salon des Nobles** décoré avec le mobilier qui s'y trouvait déjà en 1789; d'une **antichambre,** avec de magnifiques *tapisseries des Gobelins* et un *portrait de Marie-Antoinette,* œuvre de Vigée-Le Brun; de la **salle des Gardes de la Reine** où, le 6 octobre 1789, un groupe d'insurgés venus de Paris massacra plusieurs des gardes qui défendaient Marie-Antoinette. De cette salle on peut passer à la visite des six petites pièces de pur style Louis XVI qui forment ce que l'on appelle le **Petit Appartement de la Reine.** Par l'**escalier de la Reine,** de Hardouin-Mansart, on passe dans la **Grande Salle des Gardes,** où se trouvent deux œuvres de David, la réplique du *Sacre de Napoléon* et la *Distribution des aigles,* et une de Gros, représentant *Murat à la bataille d'Aboukir.* Près de là se trouve la belle **Galerie des Batailles,** réalisée par Louis-Philippe en 1836: son nom lui vient des peintures qui illustrent les plus fameuses batailles de l'histoire de France, parmi lesquelles celle de Taillebourg, peinte par Delacroix. Toujours par l'escalier de la Reine, on arrive aux salles du rez-de-chaussée, décorées en style Louis XIV, avec des peintures relatives aux règnes de Louis XV et de Louis XVI.

LES JARDINS — On les considère comme le prototype des jardins à la française, par leur style élégant, riche de « trouvailles » artistiques et d'inventions scénographiques. Les jardins furent dessinés par Le Nôtre entre 1661 et 1668 et couvraient une superficie de 100 hectares. Le point de vue le plus étonnant est sans aucun doute celui que l'on a de la terrasse: à ses extrémités, la **fontaine de Diane** à droite et celle **du Point-du-Jour** à gauche, ornées de statues en bronze. D'un côté de la terrasse, les **parterres du Nord**

Le Bassin d'Apollon.

avec des bassins et des statues, dont la Vénus à la tortue de Coysevox et une copie du **Rémouleur** d'après l'antique et la **Fontaine de la Pyramide,** de Girardon. Près d'ici, le **bassin des Nymphes de Diane** et l'**allée des Marmousets,** une double file de 22 bassins ornés d'enfants de bronze portant le jet des fontaines: celle-ci nous mène jusqu'au **bassin des Dragons** et au **bassin de Neptune** (1740).

Du côté sud de la terrasse, les **parterres du Midi,** avec leurs élégants motifs de buis. Du balcon, on peut voir l'**Orangerie** où se trouvaient 3000 arbres (orangers, amandiers, grenadiers). Chaque année on y plantait plus de 150.000 variétés de fleurs. Près de là, le grandiose **escalier des Cent marches** et la **pièce d'eau des Suisses,** petit lac créé entre 1678 et 1682 par les gardes suisses: à son extrémité, une statue du Bernin représente Louis XIV, que Girardon transforma en Marcus Curtius. De la terrasse centrale on descend au bassin de Latone, chef-d'œuvre de Marsy, représentant la déesse, avec ses enfants Diane et Apollon, qui trône sur les vasques concentriques qui s'élèvent en pyramide. De cette fontaine part la longue pelouse dite le **Tapis vert** qui nous mène au grand **bassin d'Apollon.** Là, Tuby, l'auteur du projet du bassin, a imaginé le char du dieu traîné par quatre chevaux, qui sort impérieusement de l'eau pour illuminer le ciel, tandis que les tritons soufflent dans leurs conques pour annoncer l'arrivée d'Apollon. Derrière ce groupe sculpté s'étend un vaste espace de verdure, divisé par le **Grand-Canal** (large de 62 m et long de près de 2 km), et coupé en sa moitié par le **Petit-Canal.** On trouve là des bosquets, des bassins, des fontaines: le **bosquet des Dômes,** de Hardouin-Mansart, celui de l'**Obélisque,** de lui aussi, celui des **Bains d'Apollon, l'île des Enfants,** ornée de sculptures de Hardy de 1710, le **bassin d'Encelade** avec la statue de Marsy représentant le géant qui finit écrasé par un rocher.

LES TRIANONS – C'est un autre exemple stupéfiant du luxe et de la vie fastueuse que l'on menait à Versailles.

LE GRAND TRIANON – Ce palais, placé dans un coin du parc de Versailles, fut l'œuvre de Louis XIV, qui avait l'habitude d'affirmer que le Trianon était fait pour lui, alors que Versailles était pour la cour. Il fut construit par Mansart en 1687, dans les formes classiques d'un palais à l'italienne: à un seul étage, avec de grandes fenêtres à arcades alternant avec des pilastres doriques, le tout d'une délicate couleur rose. C'est contre l'avis de l'architecte, en outre, que Louis XIV décida de faire construire le péristyle à colonnes et pilastres qui relie les deux ailes au reste du palais.

Intérieur. Le corps de logis de droite comprend l'**appartement de réception,** celui **de Napoléon Ier** (où précédemment avaient habité Mme de Maintenon et Mme de Pompadour) et l'**appartement de Louis XIV,** qui y habita de 1703 à sa mort. Dans le corps de logis de gauche nous trouvons l'**appartement de Monseigneur,** fils de Louis XIV, aux murs revêtus d'une précieuse boiserie d'époque Louis XIV.

LE PETIT TRIANON – Construit par Gabriel en 1762 sur le désir de Louis XV, il est considéré comme le palais de la favorite de France. Madame de Pompadour y mourut en 1764, et il devint ensuite l'endroit favori du roi qui aimait à y passer son temps libre auprès de la comtesse du Barry. Louis XVI en fit le don symbolique à Marie-Antoinette et Napoléon Ier l'offrit à sa sœur Pauline. A cause de sa façade simple qu'enjolivent des colonnes, de son style élégant et de ses proportions harmonieuses, ce petit palais peut être considéré comme le premier exemple de style néo-classique. A l'intérieur se trouve le mobilier ayant appartenu à Marie-Antoinette.
Dans le parc qui l'entoure, il faut voir le petit **Temple de l'Amour** construit en 1778 par Mique, avec douze colonnes corinthiennes soutenant la coupole, sous laquelle se trouve la statue de l'Amour adolescent et le **Hameau de la Reine,** un charmant coin de fausse campagne, avec ses maisons à toit de chaume, une laiterie avec des vaches, un moulin à aube, mû autrefois par un ruisseau. C'était l'endroit préféré de Marie-Antoinette, où elle venait souvent se promener, se donnant l'illusion d'être une simple dame de la province, et qu'avait créé le peintre Hubert Robert entre 1783 et 1786.

INDEX